Balzac

Heath's Modern Language Series

EUGÉNIE GRANDET

BY

HONORÉ DE BALZAC

ABRIDGED AND EDITED WITH INTRODUCTION, NOTES, AND VOCABULARY

BY

A. G. H. SPIERS, Ph.D. (Harv.)
Associate Professor of French, Columbia University

D. C. HEATH & CO., PUBLISHERS
BOSTON NEW YORK CHICAGO

3 J 8

Printed in U. S. A.

PREFACE

Eugénie Grandet is too long to be read with the proper care by a second or third year class. In this edition, therefore, the text is reduced nearly one fifth. While the description of the "*salle*" is retained almost entire, the "archaeology" of the novel, which retards the action at the beginning of the story, has been considerably curtailed; Annette has been almost completely eliminated; and Grandet's long talk with the Cruchots (where the technical language of the law is further complicated by the stuttering of the old miser) has been brought within classroom limits.

Contrary to the practice of the *édition définitive* which prints the text from beginning to end without a break, the present edition reverts, for pedagogic reasons, to the older division of the novel into chapters.

In the Notes and Vocabulary an effort has been made not to assume too much knowledge of either French or English on the part of the pupil and to see *qu'il ne se paie pas de mots*.

For help in the preparation of this edition, I must thank especially my father, Mr. I. H. B. Spiers, whose example and scholarship have been to me, as to many others, an inspiration and a guide. My indebtedness to the excellent edition of Mr. H. E. Berthon of Oxford is acknowledged in the proper places. Mr. J. McF. Carpenter Jr., my pupil and assistant at Haverford College, worked with me on a part of the Vocabulary.

A. G. H. SPIERS

January, 1914.

INTRODUCTION

BALZAC

Honoré de Balzac was born on the twentieth of May 1799. That Tours in Southwestern France was his birthplace is of little importance, since his father and mother were neither of them natives of that town and Honoré spent there only a very few years of his life. Of greater interest is the fact that he was sprung of a sturdy middle-class, almost peasant, stock, the aristocratic *de* of his name being a pure invention of the ambitious Honoré himself. His father, a petty lawyer whose family hailed from Tarn, had played an enterprising rôle in the Revolution, but chose to forget it after the fall of Napoleon when monarchical ideas had returned to favor. Honoré's mother was a Parisian. Being of an imaginative temperament, she no doubt increased that heritage of imagination which her illustrious son naturally received from his Southern father.

Honoré was not slow to show that he was no ordinary boy. From his eighth to his fourteenth year, he attended a boarding school at Vendôme some thirty miles from Tours. Here, although exposed to a regular schooling, he got anything but a regular education. To the studies of his class he opposed an indomitable indifference. He spent much time in duress, and is even credited with being the local inventor of the three pointed pen by which pupils might the more quickly write off the lines assigned to them as a penalty for laziness or insubordination.

But in his case this indifference was in reality a sign of strength. Balzac's energies were directed elsewhere. Having heard the compositions of older pupils, he was seized with a passion for writing. His desk was constantly crammed with manuscripts, and he soon gained among the younger boys a reputation as an author, while his elders made game of him for his verses. A vast amount of desultory reading supplied him with the material for these first literary efforts. Thanks to the connivance or the indulgence of the school librarian, he had access to as heterogeneous a mass of books as ever turned a literary stomach. Novels, drama, history, alchemy, treatises on the occult, all were pored over, dreamt over, conned and studied. They were responsible for much curious and superficial knowledge found later in his works; they awoke his curiosity along every line of knowledge; but also they gave him *une congestion d'idées*, as his sister put it. His imagination was so excited that his physique became overtaxed. An illness, accompanied by trances or coma from which he was aroused with difficulty, made it necessary to remove him from school and stop his studies for the time being. In the words of his old headmaster, *originalité complète*.

The young man's distaste for whatever was method and regularity needs no further demonstration. The particular form of discipline to which he was subjected three years later was especially galling. Having moved to Paris with his family, Honoré became clerk first to a solicitor and then to an attorney. He has himself described the opportunities of an attorney and his clerk to observe, as no one else may, the tangle of plot and counterplot, of intrigue, of deceit, and of cruelty that lies beneath the respectability of society. With such materials before him, the future author of *Le Père Goriot*, of *Eugénie Grandet* and of *Gobseck*, found intolerable the unoriginal, mechanical work of the scribe.

Small wonder then, that, having passed a preliminary law examination, Balzac refused to become a notary. After long discussions, his family finally allowed him two years in which to show his ability to earn a living by his pen. With unlimited enthusiasm, the young man set to work. With what admirable assurance and whimsical exuberance he toiled in his attic room, wrapped in his ambition, sustained by his hopes, and warmed by the fire of his imagination — for of other clothing, food, and heat he had a very inadequate supply — is shown by extracts from his letters to his sister: "Il faut débuter par un chef-d'œuvre ou me tordre le cou . . . Je te supplie par notre amour fraternel de ne jamais me dire: c'est bien. Ne me découvre que les fautes; quant aux beautés, je les connais de reste," and in another letter: "Le feu a pris rue Lesdiguières, numéro neuf, à la tête d'un pauvre garçon, et les pompiers n'ont pu l'éteindre. Il a été mis par une belle dame qu'il ne connaît pas . . . elle s'appelle la Gloire."

But Dame Glory was coy. She could not be won immediately, even by a young genius whose head was teeming with the plans of countless comedies, comic operas, and tragedies, as well as novels. "Faites quoi que ce soit excepté de la littérature" was the advice given by an old professor to whom Honoré had submitted his play of *Cromwell*.

The two years allowed by his father having expired, the family allowance was discontinued and Balzac was thrown on his own resources. In spite of his courage, although with collaborators of his own age he turned out some forty volumes in the next four or five years, his receipts did not balance his expenses. So, yielding to unwise counsel, he threw himself into commercial ventures — editions of Molière and La Fontaine, a printing establishment and a type foundry — which not only dissipated his energies, but increased his debts until in 1828 he was forced into a ruinous liquidation. One year later, the publication of *Les Chouans* and of *La Physiologie du Mariage* attracted the attention of the public and created a ready market for his books.

Ruined in 1828, a ready market for his books in 1829! If Balzac's allowance had been continued one year longer, or, on the other hand, had his literary progress been slightly more rapid, he might perhaps have been spared those debts which made of his life a frenzied struggle and ultimately caused his death. Nevertheless, in spite of the 90,000 francs owed in 1828, another man could very probably have paid off his creditors with the ever increasing income from his books during the following years. We suspect that, much as he railed at it, the pressure of these debts was neither entirely unprofitable nor even absolutely distasteful.

The truth seems to be that there was that in Balzac's nature which craved a call upon his every effort and delighted in the hazardous. The excesses of the English school of Horror — Anne Radcliffe, Lewis and Maturin — were dear to him, and in his early unacknowledged works he imitated them. His enthusiasm for Fenimore Cooper was intense. "Oh! que j'ai admirablement compris les corsaires, les aventuriers, les vies d'opposition!" he exclaims in one of his letters, and it has been remarked that the usurers, the lawyers and the notaries of his novels resemble not a little the Red Skins of the Leather Stocking Tales; that there are in his works too many Mohicans and Hurons concealed beneath the dress of modern French life. No doubt he felt a kinship with his Indian friends when, too closely pursued for money, he slipped away into hiding, quietly and under assumed names, leaving his mother to entertain his creditors! Thereupon, availing himself of a friend's hospitality in the provinces, or merely retiring to some secluded house in the suburbs, Balzac would throw off in a few weeks of tremendous labor enough copy to meet his most pressing obligations and suddenly appear once more at the Opera in all the splendor of a blue coat with solid gold buttons and carrying a gold headed cane set with turquoises!

There was something equally erratic about his love affairs. Those best known grew out of correspondence in which the ladies did not at first reveal their identity; in one case, at least, Balzac never saw his correspondent. Even Madame Hanska, the Russian countess whom he ultimately married, first wrote to him in the care of his publisher. That was in February 1832,

By January 1833 his head was completely turned. Not till September of this last year, however, did the two meet for the first time.

Consistent with these traits of character was Balzac's interest in the pseudo-scientific and the supernatural. He believed he possessed a magnetic power to cure those who were dear to him. He consulted somnambulists about his health, sending them pieces of flannel which he had worn about his stomach. Numberless passages in his works testify to his admiration for Lavater and Mesmer, while novels such as *Séraphita* and *Ursule Mirouet* reveal his leanings towards mysticism and his inability really to understand it. At one time he declares Swedenborgianism to be his religion; at another he considers a visit to a clairvoyant sufficient ground for the conversion of his scientific atheist, Dr. Minoret, to the Roman Catholic Faith!

Meddling thus with things which he could not understand, Balzac is apt to exaggerate a half truth till it becomes an absurdity, or to invent a theory on the unreliable data of the novel which he has in hand at the moment. Consequently his philosophy, like his science, is unsound. But it should be noted that this failing is the result of two different characteristics, one only of which is censurable. It is one of the glories of the French mind that it craves a practical and vital application of any theory which has aroused its enthusiasm. If then Balzac's inordinate curiosity and imagination have exposed him to well-deserved criticism, when he insists on dealing with matters with which he was by lack of information or by temperament incompetent to deal, there can, on the other hand, be nothing but praise for his lack of prejudice, his desire to apply seriously the ideas he held. It is precisely this characteristically French desire which has won for Balzac a peculiar distinction among the makers of literary history.

His admiration for Scott was even greater than his enthusiasm for Cooper. *Les Chouans* is strongly influenced by

Waverley and *Rob Roy*. But as his power increased and his personality began to assert itself, he grew dissatisfied. If Scott had found the true way of representing an age, why paint particularly that society which, despite all his studies, the author could never thoroughly know? Why not apply to the present the methods so successfully used by Scott in the portrayal of the past?[1] These questions were big with the transformation of the novel.

Instead of the 15th, 16th, 17th and 18th centuries, Balzac's best novels deal with periods which he himself saw, the Restoration and the reign of Louis Philippe. As Scott describes the architecture, furniture, and dress of times gone by, Balzac brings before us the houses, fittings, and clothing of his own time and land. The pleasure garden, lake, and citadel of Kenilworth give place to the sloping street, the shops, and the vineyards of Saumur: the T-shaped table and the oak settles of Cedric's hall yield to the *chaise à patins*, and the buffets of Grandet's *salle*; while Leicester's suit of Lincoln-green receives but a paltry description compared with that of the waistcoats, the lorgnon, and the grey trousers of the adorable Charles.

But matter is little without the spirit. To perfect the transformation of the novel required still more than this admirable *science des choses*. Balzac rejected therefore the attitude of mind and the motives that ruled the characters of the historic novel, intrigue of courtiers, border enmity, chivalry, and a lady's favor. He discarded to a great extent even that analysis and passion which are eternal, and which had furnished successful subjects to the French novelists before him. His characters are men and women of his own day, creatures of the particular social and economic conditions of the age as he

[1] Of course Balzac appreciated the modern descriptions found here and there in Scott's novels. But in spite of St. Ronan's Well, we may, generally speaking, apply to the English novelist's work as a whole the words of the introduction to the Pirate: "the state of manners which I have introduced . . . was necessarily imaginary, though founded in some measure on slight hints, which, showing what was, seemed to give reasonable indication of what must once have been the tone of society."

saw it. Typical examples are Gobseck, the usurer, and Grandet, the miser, to whose activities the newly acquired power of money had opened a particularly profitable field: they are Rastignac and Goriot's daughters whose social climbing would have been impossible before the Revolution; and they are also Claës, the scientist whose mania for research takes no heed of the material considerations imposed by modern life; and Pons, the musician, and Goriot, the father, crushed, both of them, by that mad scramble for wealth, position, and pleasure against which their unsophisticated natures could oppose no defense.

It has been objected that Balzac delighted in the base and the sordid. Although this peculiarity of his writing has been much exaggerated by those who have read only a few of his works, there is a certain amount of truth in the remark. As an explanation, if not as a complete excuse, we must remember that he viewed life, like Scott, from the exterior. To such an observer, it is the struggle of man against man, and the bitterness and cunning born of that struggle, that strike the eye most forcibly. Painting from the exterior, he neglects the inner. Eliminating the lesser instincts, the minor impulses, which lead to no external result, he focusses his attention on a master passion. The student should notice that at the beginning of the novels, Balzac's characters are neither abnormal nor absolutely unsympathetic. Grandet loves his daughter even when he has locked her up in her room; his judgment of Charles is correct and he appreciates the devotion of Nanon. Yet, prompted by a multitude of details, the reader feels that Balzac's men and women are dominated by one peculiar instinct, that in a crisis this instinct must triumph over all others and lead to characteristic acts. And thus it happens that, terrible as the conclusions of the novels may be, we accept them as the natural outcome of the behavior of living beings.

To produce this effect of reality, Balzac went to the greatest pains. He gives to his characters a distinctive appearance; with great care he chooses a suggestive name; then it is their surroundings — houses, rooms, families — that receive his attention; and finally, with a genius that baffles explanation, he endows them with a life in accord with their appearance, names, and surroundings. So logical is this process that each new step is constantly in the direction of the reader's expectation; so masterly is it that it surprises him by being stronger and still more striking than anything that he could possibly have anticipated. In the words of Emile Faguet, Balzac's men and women "have the characters that suit their stations and their temperaments, the habits of their characters, the ideas of their habits, the speech of their ideas, and the acts of their speech." They are real and alive.

He was not content to write a few isolated novels along the new lines just explained. Fired no doubt by the example of the naturalists, he aimed at nothing less than a natural history of man. "Mon œuvre doit contenir toutes les figures et toutes les positions sociales" he says; and again: "J'ai entrepris l'histoire de toute la société. . . . Une génération est un drame à quatre ou cinq mille personnages saillants. Ce drame est mon livre." In other words, no sooner had he succeeded in writing one or two big novels than he conceived the idea of a great work, of which the separate novels should be mere divisions. Henceforth, planning several of these divisions simultaneously, Balzac gradually built up this big work. It ultimately received the name of *La Comédie Humaine* and consists of some ninety-six different novels, grouped under titles destined to bring out more clearly the particular fields of the author's study, such as *Etudes philosophiques*; *Scènes de la vie privée*; *Scène de la vie de province* (*Le Curé de Tours* 1832, *Eugénie Grandet* 1833); *Scènes de la vie parisienne* (*Le Père Goriot* 1834, *La Cousine Bette* 1846, *Le Cousin Pons* 1847); *Scènes de la vie politique* (*Une Ténébreuse Affaire* 1848).

Linking together the individual novels, the same characters

constantly reappear, now as protagonists, now as minor figures; younger in this volume, older in that. They represent — generally speaking — every position in life, every calling and every disposition. In this novel, whether directly or indirectly, we may learn of the marriage of a certain character; in another, set at a different time, we are informed of his death: here he has been successful financially, while there he is outwitted by another old acquaintance of ours with the vicissitudes of whose fortunes we are equally familiar. Two thousand and more persons, their private lives, their social, family and business connections, the progress of their loves and finances and the development of their personalities for good or for evil, all these may be traced from a careful reading of the *Comédie Humaine.* And Balzac, the creator of this active, intricate society, remembered them all, knew what he had said of them in preceding novels, recalled every thing about them, words, acts, habits, families, and characters. To him, they were living and real, as indeed they are to us. "Savez-vous qui Félix de Vandenesse épouse?" he once exclaimed excitedly; and one day to Jules Sandeau who had inquired for his sister's health, "Tout cela est bien" was Balzac's reply, "mais revenons à la réalité, parlons d'Eugénie Grandet."

The labor of this production was enormous, and it required little less than superhuman strength to satisfy the demands of such an imagination. Hunted by his creditors and haunted by his dreams, working sometimes twenty-five hours at a stretch and regularly allowing but five hours for sleep, "cet homme trapu, robuste, vivace, qui résumait en lui les vigueurs du sanglier et du taureau, moitié Hercule, moitié satyre" was exhausted at the end of thirty years.

His courage had always been marvelous. In spite of the haste demanded by his debts, he rewrote and corrected with indefatigable care. Gautier tells us that his proof sheets, covered with lines running to the margins above, below, to the right and to the left, looked like a display of fireworks drawn by a child. For *Pierrette*, he required as many as twenty-seven proofs. And yet at one time, for a space of nineteen years, he published an average of two thousand pages a year!

The coffee with which he kept himself awake (the marks of his cup are still to be seen on his manuscripts) and the compresses with which his mother cooled his forehead became with time insufficient to safeguard the energies exacted by his will. "J'ai fait *César Birotteau* (1837) les pieds dans la moutarde, et je fais les *Paysans* (1844) la tête dans l'opium." He had received warnings of ill-health as early as 1832 and again in 1834. First it was his head, then his liver. Finally, in 1848, he was attacked with aneurism of the heart; and this was the beginning of the end.

Twenty-six years earlier, in 1822, he had written to his sister: "Laure, Laure, mes deux seuls et immenses désirs, être célèbre et être aimé, seront-ils jamais satisfaits?" They were. But when at last he had realized these desires, when too he could at last foresee the end of those debts which had pursued him for over a quarter of a century of frenzied labor, he was called upon to settle the long-neglected account of health, a creditor more insistent than any unpaid tradesman of Paris. He died on August 19th, 1850, five months after his marriage to Mme. Hanska whom he had loved for seventeen years.

Thus lived and died "l'historien bourgeois d'une société bourgeoise et, au total, le plus grand peintre de mœurs que la France ait produit depuis Molière, La Bruyère et Saint-Simon." It must be noted, however, that the *Caractères* of La Bruyère and the *Mémoirs* of Saint-Simon are neither of them sustained works of creative imagination, and that Molière, tragic as he often becomes, was essentially a satirist. Balzac, on the other hand, stressing as no writer before him the pathos, the tragedy and the power of the middle classes, created a living and complicated society of his own. Enlisting the methods of Scott in the service of a keen observation, a penetrating understanding of character, and an unsurpassed imagination, he staked out and worked with advantage a claim from which succeeding novelists have derived their richest profits: a gripping story drawn from contemporary life.

Sixty odd years have elapsed since his death; but the disciples have not yet succeeded in surpassing the great master.

A. G. H. SPIERS

Haverford, January, 1914.

EUGÉNIE GRANDET

A MARIA

Que votre nom, vous dont le portrait est le plus bel ornement de cet ouvrage, soit ici comme une branche de buis bénit,[1] prise on ne sait à quel arbre, mais certainement sanctifiée par la religion et renouvelée, toujours verte, par des mains pieuses, pour protéger la maison.

DE BALZAC.

CHAPITRE PREMIER

PHYSIONOMIES BOURGEOISES

Il se trouve dans certaines villes de province des maisons dont la vue inspire une mélancolie égale à celle que provoquent les cloîtres les plus sombres, les landes les plus ternes ou les ruines les plus tristes. Peut-être y a-t-il à la fois dans ces maisons et le silence du cloître, et l'aridité des landes, et les ossements des ruines; la vie et le mouvement y sont si tranquilles qu'un étranger les croirait inhabitées, s'il ne rencontrait tout à coup le regard pâle et froid d'une personne immobile dont la figure à demi monastique dépasse l'appui de la croisée, au bruit d'un pas inconnu.

Ces principes de mélancolie existent dans la physionomie d'un logis situé à Saumur,[2] au bout de la rue montueuse qui mène au château, par le haut de la ville. Cette rue, maintenant peu fréquentée, chaude en été, froide en hiver, obscure en quelques endroits, est remarquable par la sonorité de son petit pavé caillouteux, toujours propre et sec, par l'étroitesse de sa voie tortueuse, par la paix de ses maisons, qui appartiennent à la vieille ville et que dominent les remparts.

Les rez-de-chaussée commerçants ne sont ni des boutiques ni des magasins,[1] les amis du moyen âge y retrouveraient l'ouvrouère[2] de nos pères en toute sa naïve simplicité. Ces salles basses, qui n'ont ni devanture,[3] ni montre, ni vitrages, sont profondes, obscures et sans ornements extérieurs ou intérieurs. Là, nul charlatanisme. Suivant la nature du commerce les échantillons consistent en deux ou trois baquets pleins de sel et de morue, en quelques paquets de toile à voiles, des cordages, du laiton pendu aux solives du plancher, des cercles le long des murs, ou quelques pièces de drap sur des rayons.

Entrez. Une fille propre, pimpante de jeunesse,[4] au blanc fichu, aux bras rouges, quitte son tricot, appelle son père ou sa mère, qui vient et vous vend à vos souhaits, flegmatiquement, complaisamment, arrogamment, selon son caractère, soit pour deux sous, soit pour vingt mille francs de marchandise.

Vous verrez un marchand de merrain assis à sa porte et qui tourne ses pouces en causant avec un voisin, il ne possède en apparence que de mauvaises planches à bouteilles[5] et deux ou trois paquets de lattes; mais sur le port son chantier plein fournit tous les tonneliers de l'Anjou.[6]

Tout étant prévu, l'achat, la vente, le profit, les commerçants se trouvent avoir dix heures sur douze à employer en joyeuses parties,[7] en observations, commentaires, espionnages continuels. Une ménagère n'achète pas une perdrix sans que les voisins demandent au mari si elle était cuite à point. Une jeune fille ne met pas la tête à sa fenêtre sans y être vue par tous les groupes inoccupés. Là donc, les consciences sont à jour, de même que ces maisons impénétrables, noires et silencieuses n'ont point de mystères.

La vie est presque toujours en plein air: chaque ménage s'assied à sa porte, y déjeune, y dîne, s'y querelle. Il ne passe personne dans la rue qui ne soit étudié. Aussi, jadis, quand un étranger arrivait dans une ville de province, était-il gaussé de porte en porte.

Les anciens hôtels[1] de la vieille ville sont situés en haut de cette rue, autrefois habitée par les gentilshommes du pays. La maison, pleine de mélancolie, où se sont accomplis les événements de cette histoire, était précisément un de ces logis, restes vénérables d'un siècle où les choses et les hommes avaient ce caractère de simplicité que les mœurs françaises perdent de jour en jour.

Après avoir suivi les détours de ce chemin pittoresque, vous apercevez un renfoncement assez sombre, au centre duquel est cachée la porte de la maison à M. Grandet.[2]

Mais il est impossible de comprendre la valeur de cette expression provinciale sans donner la biographie de M. Grandet.

M. Grandet jouissait à Saumur d'une réputation dont les causes et les effets ne seront pas entièrement compris par les personnes qui n'ont point, peu ou prou,[3] vécu en province. M. Grandet (encore nommé par certaines gens le Père Grandet,[4] mais le nombre de ces vieillards diminuait sensiblement), était en 1789 un maître tonnelier fort à son aise, sachant lire, écrire et compter. Lorsque la République française mit en vente, dans l'arrondissement[5] de Saumur, les biens du clergé,[6] le tonnelier, alors âgé de quarante ans, venait d'épouser la fille d'un riche marchand de planches. Grandet alla, muni de sa fortune liquide et de la dot, muni de deux mille louis d'or,[1] au district, où, moyennant deux cents doubles louis offerts par son beau-père au farouche républicain qui surveillait la vente des domaines nationaux,[2] il eut, pour un morceau de pain,[3] légalement, sinon légitimement, les plus beaux vignobles de l'arrondissement, une vieille abbaye et quelques métairies.

Les habitants de Saumur étant peu révolutionnaires, le père Grandet passa pour un homme hardi, un républicain, un patriote, pour un esprit qui donnait dans les nouvelles idées, tandis que le tonnelier donnait tout bonnement dans les vignes. Il fut nommé membre de l'administration du district de Saumur, et son influence pacifique s'y fit sentir politiquement et commercialement.

Politiquement, il protégea les ci-devant[4] et empêcha de tout son pouvoir la vente des biens des émigrés;[5] commercialement, il fournit aux armées républicaines un ou deux milliers de pièces de vin blanc, et se fit payer en superbes prairies dépendant d'une communauté de femmes que l'on avait réservée pour un dernier lot.[6]

Sous le Consulat,[7] le bonhomme Grandet devint maire, administra sagement, vendangea mieux encore; sous l'Empire,[8] il fut M. Grandet. Napoléon n'aimait pas les républicains: il remplaça M. Grandet, qui passait pour avoir porté le bonnet rouge,[9] par un grand propriétaire, un homme à particule,[10] un futur baron de l'Empire. M. Grandet quitta les honneurs municipaux sans aucun regret. Il avait fait faire, dans l'intérêt de la ville, d'excellents chemins qui menaient à ses propriétés. Sa maison et ses biens, très avantageusement cadastrés, payaient des impôts modérés. Depuis le classement de ses différents clos, ses vignes, grâce à des soins constants, étaient devenues *la tête du pays*, mot technique en usage pour indiquer les vignobles qui produisent la première qualité de vin. Il aurait pu demander la croix de la Légion d'honneur.[1]

Cet événement eut lieu en 1806. M. Grandet avait alors cinquante-sept ans et sa femme environ trente-six. Une fille unique était âgée de dix ans. M. Grandet, que la Providence voulut sans doute consoler de sa disgrâce administrative, hérita successivement pendant cette année de Mme de La Gaudinière, née de La Bertellière, mère de Mme Grandet; puis du vieux M. de La Bertellière, père de la défunte; et encore de Mme Gentillet, grand'mère du côté maternel: trois successions dont l'importance ne fut connue de personne.

Il obtint alors le nouveau titre de noblesse que notre manie d'égalité n'effacera jamais, il devint le plus imposé[2] de l'arrondissement. Deux seules personnes pouvaient vaguement présumer l'importance de ses capitaux: l'une était M. Cruchot, notaire, chargé des placements usuraires de M. Grandet; l'autre, M. des Grassins,[3] le plus riche banquier de Saumur, aux bénéfices duquel le vigneron participait à sa convenance et secrètement.[4]

Financièrement parlant, M. Grandet tenait du tigre et du boa: il savait se coucher, se blottir, envisager longtemps sa proie, sauter dessus; puis il ouvrait la gueule de sa bourse, y engloutissait une charge d'écus, et se couchait tranquillement, comme le serpent qui digère, impassible, froid, méthodique. Personne ne le voyait passer sans éprouver un sentiment d'admiration mélangé de respect et de terreur. Chacun dans Saumur n'avait-il pas senti le déchirement poli de ses griffes d'acier? A celui-ci, maître[5] Cruchot avait procuré l'argent nécessaire à l'achat d'un domaine, mais à onze pour cent; à celui-là, M. des

Grassins avait escompté des traites, mais avec un effroyable prélèvement d'intérêts. Il s'écoulait peu de jours sans que le nom de M. Grandet fût prononcé, soit au marché, soit pendant les soirées dans les conversations de la ville. Pour quelques personnes, la fortune du vieux vigneron était l'objet d'un orgueil patriotique. Aussi plus d'un négociant, plus d'un aubergiste disait-il aux étrangers avec un certain contentement:

— Monsieur, nous avons ici deux ou trois maisons millionnaires; mais, quant à M. Grandet, il ne connaît pas lui-même sa fortune!

M. Grandet n'achetait jamais ni viande ni pain. Ses fermiers lui apportaient par semaine une provision suffisante de chapons, de poulets, d'œufs, de beurre et de blé de rente.[1] Il possédait un moulin dont le locataire devait, en sus du bail,[2] venir chercher une certaine quantité de grains et lui en rapporter le son et la farine. La grande Nanon, son unique servante, quoiqu'elle ne fût plus jeune, boulangeait elle-même tous les samedis le pain de la maison. M. Grandet s'était arrangé avec les maraîchers, ses locataires, pour qu'ils le fournissent de légumes. Quant aux fruits, il en récoltait une telle quantité, qu'il en faisait vendre une grande partie au marché. Son bois de chauffage était coupé dans ses haies ou pris dans les vieilles truisses[3] à moitié pourries qu'il enlevait au bord de ses champs, et ses fermiers le lui charroyaient en ville tout débité,[4] le rangeaient par complaisance dans son bûcher et recevaient ses remercîments.

Ses seules dépenses connues étaient le pain bénit, la toilette de sa femme, celle de sa fille et le payement de leurs chaises à l'église;[5] la lumière, les gages de la grande Nanon, l'étamage de ses casseroles;[6] l'acquittement des impositions, les réparations de ses bâtiments et les frais de ses exploitations.

Les manières de cet homme étaient fort simples. Il parlait peu. Généralement, il exprimait ses idées par de petites phrases sentencieuses et dites d'une voix douce. Depuis la Révolution, époque à laquelle il attira les regards, le bonhomme bégayait d'une manière fatigante aussitôt qu'il avait à discourir longuement ou à soutenir une discussion. Ce bredouillement était affecté et sera suffisament expliqué par quelques événements de cette histoire. D'ailleurs, quatre phrases, exactes autant que des formules algébriques, lui servaient habituellement à embrasser, à résoudre[1] toutes les difficultés de la vie et du commerce: *Je ne sais pas. Je ne puis pas. Je ne veux pas. Nous verrons cela.*[2]

Au physique, Grandet était un homme de cinq pieds, trapu, carré, ayant des mollets de douze pouces de circonférence, des rotules noueuses, et de larges épaules; son visage était rond, tanné, marqué de petite vérole;[3] son menton était droit, ses lèvres n'offraient aucune sinuosité,[4] et ses dents étaient blanches; ses yeux avaient l'expression calme et dévoratrice que le peuple accorde au basilic;[5] son front, plein de lignes transversales, ne manquait pas de protubérances significatives; ses cheveux, jaunâtres et grisonnants, étaient *blanc et or*, disaient quelques jeunes gens qui ne connaissaient pas la gravité d'une plaisanterie faite sur M. Grandet. Son nez, gros par le bout, supportait une loupe veinée que le vulgaire disait, non sans raison, pleine de malice.[6] Cette figure annonçait une finesse dangereuse, une probité sans chaleur, l'égoïsme d'un homme habitué à concentrer ses sentiments dans la jouissance de l'avarice et sur le seul être qui lui fût réellement de quelque chose,[1] sa fille Eugénie, sa seule héritière. Attitude, manières, démarche, tout en lui, d'ailleurs, attestait cette croyance en soi que donne l'habitude d'avoir toujours réussi dans ses entreprises.

Saumur ne savait rien de plus sur ce personnage.

Six habitants seulement avaient le droit de venir dans cette maison. Le plus considérable des trois premiers était le neveu de M. Cruchot. Depuis sa nomination de président au tribunal de première instance[2] de Saumur, ce jeune homme avait joint au nom de Cruchot celui de Bonfons, et travaillait à faire prévaloir Bonfons sur Cruchot. Il signait déjà C. de Bonfons. Le plaideur assez malavisé pour l'appeler «monsieur Cruchot» s'apercevait bientôt, à l'audience, de sa sottise. Le magistrat protégeait ceux qui le nommaient «monsieur le président», mais il favorisait de ses plus gracieux sourires les flatteurs qui lui disaient «monsieur de Bonfons». M. le président était âgé de trente-trois ans, possédait le domaine de Bonfons (*Boni Fontis*), valant sept mille livres de rente;[3] il attendait la succession de son oncle le notaire et celle de son oncle l'abbé[4] Cruchot, dignitaire du chapitre de Saint-Martin de Tours,[5] qui tous deux passaient pour être assez riches. Ces trois Cruchot, soutenus par bon nombre de cousins, alliés à vingt maisons de la ville, formaient un parti, comme jadis à Florence les Médicis;[6] et, comme les Médicis, les Cruchot avaient leurs Pazzi.

Mme des Grassins, mère d'un fils de vingt-trois ans, venait très assidûment faire la partie de Mme Grandet,[7] espérant marier son cher Adolphe avec Mlle Eugénie. M. des Grassins le banquier favorisait vigoureusement les manœuvres de sa femme par de constants services secrètement rendus au vieil avare, et arrivait toujours à temps sur le champ de bataille. Ces trois des Grassins avaient également leurs adhérents, leurs cousins, leurs alliés fidèles.

Du côté des Cruchot, l'abbé, le Talleyrand[1] de la famille, bien appuyé par son frère le notaire, disputait vivement le terrain à la financière, et tentait de réserver le riche héritage à son neveu le président.

Ce combat secret entre les Cruchot et les des Grassins dont le prix était la main d'Eugénie Grandet, occupait passionnément les diverses sociétés de Saumur.

Les anciens du pays pourtant prétendaient que, les Grandet étant trop avisés pour laisser sortir les biens de leur famille, l'ancien tonnelier ne donnerait sa fille ni à M. le président ni à M. Adolphe des Grassins. Mlle Eugénie Grandet, de Saumur, serait mariée au fils de M. Grandet, de Paris, riche marchand de vins en gros. A cela les Cruchotins et les Grassinistes[2] répondaient:

— D'abord, les deux frères ne se sont pas vus deux fois depuis trente ans. Puis M. Grandet, de Paris, a de hautes prétentions pour son fils. Il est maire d'un arrondissement,[3] député, colonel de la garde nationale,[4] juge au tribunal de commerce; il renie les Grandet de Saumur, et prétend s'allier à quelque famille ducale par la grâce de Napoléon.

Au commencement de 1811, les Cruchotins remportèrent un avantage signalé sur les Grassinistes. La terre de Froidfond, remarquable par[5] son parc, son admirable château, ses fermes, rivières, étangs, forêts, et valant trois millions, fut mise en vente par le jeune marquis de Froidfond, obligé de réaliser ses capitaux. Maître Cruchot, le président Cruchot, l'abbé Cruchot, aidés par leurs adhérents, surent empêcher la vente par petits lots. Le notaire conclut avec le jeune homme un marché d'or[6] en lui persuadant qu'il y aurait des poursuites sans nombre à diriger contre les adjudicataires avant de rentrer dans le prix des lots;[1] il valait mieux vendre à M. Grandet, homme solvable, et capable d'ailleurs de payer la terre en argent comptant. Le beau marquisat de Froidfond fut alors convoyé vers l'œsophage de M. Grandet, qui, au grand étonnement de Saumur, le paya, sous escompte, après les formalités. Cette affaire eut du retentissement[2] à Nantes et à Orléans.

Il est maintenant facile de comprendre toute la valeur de ce mot: *la maison à*[3] *M. Grandet!* cette maison pâle, froide, silencieuse, située en haut de la ville, et abritée par les ruines des remparts.

Au rez-de-chaussée, la pièce la plus considérable était une *salle*[4] dont l'entrée se trouvait sous la voûte de la porte cochère. Cette pièce était planchéiée; des panneaux gris, à moulures antiques, la boisaient de haut en bas; son plafond se composait de poutres apparentes, également peintes en gris, dont les entre-deux étaient remplis de blanc en bourre[5] qui avait jauni.

Un vieux cartel de cuivre incrusté d'arabesques en écaille ornait le manteau de la cheminée en pierre blanche. Les sièges, de forme antique, étaient garnis en tapisseries représentant les fables de la Fontaine;[6] mais il fallait le savoir pour en reconnaître les sujets, tant les couleurs passées et les figures criblées de reprises[7] se voyaient difficilement. Aux quatre angles de cette salle se trouvaient des encoignures, espèces de buffets terminés par de crasseuses étagères. Une vieille table à jouer en marqueterie, dont le dessus faisait échiquier, était placée dans le tableau qui séparait les deux fenêtres. Au-dessus de cette table, il y avait un baromètre ovale, à bordure noire, enjolivé par des rubans de bois doré, où les mouches avaient si licencieusement folâtré, que la dorure en était un problème.[1]

Dans la croisée la plus rapprochée de la porte se trouvait une chaise de paille dont les pieds étaient montés sur des patins, afin d'élever Mme Grandet à une hauteur qui lui permît de voir les passants. Une travailleuse en bois de merisier déteint[2] remplissait l'embrasure, et le petit fauteuil d'Eugénie Grandet était placé tout auprès.

Depuis quinze ans, toutes les journées de la mère et de la fille s'étaient paisiblement écoulées à cette place, dans un travail constant, à compter du mois d'avril jusqu'au mois de novembre. Le 1er[3] de ce dernier mois, elles pouvaient prendre leur station d'hiver[4] à la cheminée. Ce jour-là seulement, Grandet permettait qu'on allumât du feu dans la salle, et il le faisait éteindre au 31 mars, sans avoir égard ni aux premiers froids du printemps ni à ceux de l'automne. Une chaufferette, entretenue avec la braise provenant du feu de la cuisine que la grande Nanon leur réservait en usant d'adresse, aidait Mme et Mlle Grandet à passer les matinées ou les soirées les plus fraîches des mois d'avril et d'octobre.

La mère et la fille entretenaient tout le linge de la maison, et employaient si consciencieusement leurs journées à ce véritable labeur d'ouvrière,[5] que, si Eugénie voulait broder une collerette à sa mère, elle était forcée de prendre sur[6] ses heures de sommeil en trompant son père pour avoir de la lumière. Depuis longtemps, l'avare distribuait la chandelle à sa fille et à la grande Nanon, de même qu'il distribuait dès le matin le pain et les denrées nécessaires à la consommation journalière.

La *grande Nanon* était peut-être la seule créature humaine capable d'accepter le despotisme de son maître.

Toute la ville l'enviait à M. et Mme Grandet. A l'âge de vingt-deux ans, la pauvre fille n'avait pu se placer chez personne, tant sa figure était repoussante. M. Grandet, qui pensait alors à se marier, et voulait déjà monter son ménage,[1] devina le parti qu'on pouvait tirer d'une créature femelle taillée en Hercule,[2] plantée sur ses pieds comme un chêne de soixante ans sur ses racines, forte des hanches,[3] carrée du dos, ayant des mains de charretier et une probité vigoureuse. Il vêtit alors, chaussa, nourrit la pauvre fille, lui donna des gages, et l'employa sans trop la rudoyer.

En se voyant ainsi accueillie, la grande Nanon pleura secrètement de joie, et s'attacha sincèrement au tonnelier, qui, d'ailleurs, l'exploita féodalement.[4] Nanon faisait tout: elle faisait la cuisine, elle faisait les buées,[5] elle allait laver le linge à la Loire, le rapportait sur ses épaules; elle se levait au jour, se couchait tard; faisait à manger à[6] tous les vendangeurs pendant les récoltes, surveillait les halleboteurs;[7] défendait, comme un chien fidèle, le bien de son maître; enfin, pleine d'une confiance aveugle en lui, elle obéissait sans murmure à ses fantaisies les plus saugrenues.

En 1819, vers le commencement de la soirée, au milieu du mois de novembre, la grande Nanon alluma le feu pour la première fois. L'automne avait été très beau. Ce jour était un jour de fête bien connu des Cruchotins et des Grassinistes. Aussi les six antagonistes se préparaient-ils à venir, armés de toutes pièces,[8] pour se rencontrer dans la salle et s'y surpasser en preuves d'amitié.

Le matin, tout Saumur avait vu Mme et Mlle Grandet, accompagnées de Nanon, se rendant à l'église paroissiale pour y entendre la messe, et chacun se souvint que ce jour était l'anniversaire de la naissance de Mlle Eugénie. Aussi, calculant l'heure où le dîner devait finir, Me Cruchot, l'abbé Cruchot et M. C. de Bonfons s'empressaient-ils d'arriver avant les des Grassins pour fêter Mlle Grandet. Tous trois apportaient d'énormes bouquets cueillis dans leurs petites serres. La queue des fleurs que le président voulait présenter était ingénieusement enveloppée d'un ruban de satin blanc orné de franges d'or.

Le matin, M. Grandet, suivant sa coutume pour les jours mémorables de la naissance et de la fête[1] d'Eugénie, était venu la surprendre au lit, et lui avait solennellement offert son présent paternel, consistant, depuis treize années, en une curieuse pièce d'or.

Mme Grandet donnait ordinairement à sa fille une robe d'hiver ou d'été, selon la circonstance. Ces deux robes, les pièces d'or qu'elle récoltait au premier jour de l'an et à la fête de son père, lui composaient un petit revenu de cent écus environ, que Grandet aimait à lui voir entasser. N'était-ce pas mettre son argent d'une caisse dans une autre, et, pour ainsi dire, élever à la brochette[2] l'avarice de son héritière, à laquelle il demandait parfois compte de son trésor, autrefois grossi par les La Bertellière, en lui disant:

— Ce sera ton *douzain*[3] de mariage.

Pendant le dîner, le père, tout joyeux de voir son Eugénie plus belle dans une robe neuve, s'était écrié:

— Puisque c'est la fête d'Eugénie, faisons du feu! ce sera de bon augure.

— Mademoiselle se mariera dans l'année, c'est sûr! dit la grande Nanon en remportant les restes d'une oie, ce faisan des tonneliers.

— Je ne vois point de parti pour elle à Saumur, répondit Mme Grandet en regardant son mari d'un air timide, qui, vu[1] son âge, annonçait l'entière servitude conjugale sous laquelle gémissait la pauvre femme.

Grandet contempla sa fille et s'écria gaiement:

— Elle a vingt-trois ans aujourd'hui, l'enfant; il faudra bientôt s'occuper d'elle.

Eugénie et sa mère se jetèrent silencieusement un coup d'œil d'intelligence.[2]

Mme Grandet était une femme sèche et maigre, jaune comme un coing, gauche, lente; une de ces femmes qui semblent faites pour être tyrannisées. Elle avait de gros os, un gros nez, un gros front, de gros yeux, et offrait, au premier aspect, une vague ressemblance avec ces fruits cotonneux qui n'ont plus ni saveur ni suc. Ses dents étaient noires et rares, sa bouche était ridée, son menton affectait la forme dite de galoche.[3] Une douceur angélique, une résignation d'insecte tourmenté par des enfants, une piété rare, une inaltérable égalité d'âme,[4] un bon cœur, la faisaient universellement plaindre et respecter.

Lorsque Grandet tirait de sa poche la pièce de cent sous allouée par mois pour les menues dépenses, le fil, les aiguilles et la toilette de sa fille, il ne manquait jamais, après avoir boutonné son gousset, de dire à sa femme:

— Et toi, la mère, veux-tu quelque chose?

— Mon ami, répondait Mme Grandet, animée par un sentiment de dignité maternelle, nous verrons cela.

Sublimité perdue! Grandet se croyait très généreux envers sa femme. Les philosophes qui rencontrent des Nanon, des Mme Grandet, des Eugénie, ne sont-ils pas en droit de trouver que l'ironie est le fond du caractère de la Providence?

Après ce dîner, où, pour la première fois, il fut question

du mariage d'Eugénie, Nanon alla chercher une bouteille de cassis dans la chambre de M. Grandet, et manqua de tomber en descendant.

— Grande bête![1] lui dit son maître, est-ce que tu te laisserais choir comme une autre, toi?

— Monsieur, c'est une marche de votre escalier qui ne tient pas.

— Elle a raison, dit Mme Grandet. Vous auriez dû la faire raccommoder depuis longtemps. Hier, Eugénie a failli s'y fouler le pied.

— Tiens,[2] dit Grandet à Nanon en la voyant toute pâle, puisque c'est la naissance d'Eugénie, et que tu as manqué de tomber, prends un petit verre de cassis.

— Ma foi, je l'ai bien gagné, dit Nanon. A ma place, il y a bien des gens qui auraient cassé la bouteille; mais je me serais plutôt cassé le coude pour la tenir en l'air.

— C'te[3] pauvre Nanon! dit M. Grandet en lui versant le cassis.

— T'es-tu fait mal? lui dit Eugénie en la regardant avec intérêt.

— Non, pisque[4] je me suis retenue en me fichant[5] sur mes reins.

— Eh bien, puisque c'est la naissance d'Eugénie, dit Grandet, je vais vous raccommoder votre marche. Vous ne savez pas, vous autres,[6] mettre le pied dans le coin, à l'endroit où elle est encore solide.

Grandet prit la chandelle, laissa sa femme, sa fille et sa servante sans autre lumière que celle du foyer qui jetait de vives flammes, et alla dans le fournil chercher des planches, des clous et ses outils.

— Faut-il vous aider?[7] lui cria Nanon en l'entendant frapper dans l'escalier.

— Non! non! ça me connaît,[1] répondit l'ancien tonnelier.

Au moment où Grandet raccommodait lui-même son escalier vermoulu, et sifflait à tue-tête en souvenir de ses jeunes années, les trois Crouchot frappèrent à la porte.

— C'est-y[2] vous, monsieur Cruchot? demanda Nanon en regardant par la petite grille.

— Oui, répondit le président.

Nanon ouvrit la porte, et la lueur du foyer, qui se reflétait sous la voûte, permit aux trois Cruchot d'apercevoir l'entrée de la salle.

— Ah! vous êtes des fêteux,[3] leur dit Nanon en sentant les fleurs.

— Excusez, messieurs, cria Grandet en reconnaissant la voix de ses amis, je suis à vous![4] Je ne suis pas fier, je rafistole[5] moi-même une marche de mon escalier.

— Faites, faites,[6] monsieur Grandet! *Charbonnier est maire chez lui*,[7] dit sentencieusement le président, en riant tout seul de son allusion que personne ne comprit.

Mme et Mlle Grandet se levèrent. Le président, profitant de l'obscurité, dit alors à Eugénie:

— Me permettez-vous, mademoiselle, de vous souhaiter, aujourd'hui que vous venez de naître, une suite d'années heureuses, et la continuation de la santé dont vous jouissez?

Il lui donna un gros bouquet de fleurs rares à Saumur; puis, la serrant par les coudes, il l'embrassa des deux côtés du cou, avec une complaisance qui rendit Eugénie honteuse. Le président, qui ressemblait à un grand clou rouillé, croyait ainsi faire sa cour.

— Ne vous gênez pas,[8] dit Grandet en rentrant. Comme vous y allez les jours de fête, monsieur le président!

— Mais, avec mademoiselle, répondit l'abbé Cruchot, en offrant son bouquet, tous les jours seraient pour mon neveu des jours de fête.

Et il baisa la main d'Eugénie.

Quant à maître Cruchot, il embrassa la jeune fille tout bonnement sur les deux joues, et dit:

— Comme ça nous pousse, ça![1] Tous les ans douze mois.

En replaçant la lumière devant le cartel, Grandet, qui ne quittait jamais une plaisanterie et la répétait à satiété[2] quand elle lui semblait drôle, dit:

— Puisque c'est la fête d'Eugénie, allumons les flambeaux!

Il ôta soigneusement[3] les branches des candélabres, mit la bobèche à chaque piédestal, prit des mains de Nanon une chandelle neuve entortillée d'un bout de papier, la ficha dans le trou, l'assura, l'alluma, et vint s'asseoir à côté de sa femme, en regardant alternativement ses amis, sa fille et les deux chandelles.

L'abbé Cruchot, petit homme dodu, grassouillet, à perruque rousse et plate, à figure de vieille femme joueuse, dit en avançant ses pieds bien chaussés dans de forts souliers à agrafes d'argent:

— Les des Grassins ne sont pas venus?

— Pas encore, dit Grandet.

— Mais doivent-ils venir? demanda le vieux notaire en faisant grimacer[4] sa face trouée comme une écumoire.

— Je le crois, répondit Mme Grandet.

— Vos vendanges sont-elles finies? demanda le président de Bonfons à M. Grandet.

— Partout! lui dit le vieux vigneron, en se levant pour se promener de long en long[5] dans la salle et se haussant le thorax[1] par un mouvement plein d'orgueil comme son mot: partout!

Par la porte du couloir qui allait à la cuisine, il vit alors la grande Nanon, assise à son feu, ayant une lumière et se préparant à filer là, pour ne pas se mêler à la fête.

— Nanon, dit-il en s'avançant dans le couloir, veux-tu bien[2] éteindre ton feu, ta lumière, et venir avec nous. Pardieu![3] la salle est assez grande pour nous tous.

— Mais, monsieur, vous aurez du beau monde.

— Ne les vaux-tu pas bien? Ils sont de la côte d'Adam[4] tout comme toi.

Grandet revint vers le président et lui dit:

— Avez-vous vendu votre récolte?

— Non, ma foi, je la garde. Si maintenant le vin est bon, dans deux ans il sera meilleur. Les propriétaires, vous le savez bien, se sont juré de tenir les prix convenus, et, cette année, les Belges ne l'emporteront pas sur nous. S'ils s'en vont, eh bien, ils reviendront.

— Oui mais tenons-nous bien,[5] dit Grandet d'un ton qui fit frémir le président.

— Serait-il en marché?[6] pensa Cruchot.

En ce moment, un coup de marteau annonça la famille des Grassins, et leur arrivée interrompit une conversation commencée entre Mme Grandet et l'abbé.

Mme des Grassins était une de ces petites femmes vives, dodues, blanches et roses, qui, grâce au régime claustral des provinces et aux habitudes d'une vie vertueuse, se sont conservées jeunes encore à quarante ans. Elles sont comme ces dernières roses de l'arrière-saison, dont la vue fait plaisir,[7] mais dont les pétales ont je ne sais quelle froideur et dont le parfum s'affaiblit. Elle se mettait assez bien, faisait venir ses modes de Paris, donnait le ton à la ville de Saumur, et avait des soirées. Son mari, ancien quartier-maître dans la garde impériale, grièvement blessé à Austerlitz[1] et retraité, conservait, malgré sa considération pour M. Grandet, l'apparente franchise des militaires.

— Bonjour, Grandet, dit-il au vigneron en lui tendant la main et affectant une sorte de supériorité sous laquelle il écrasait toujours les Cruchot. — Mademoiselle, dit-il à Eugénie après avoir salué Mme Grandet, vous êtes toujours belle et sage, je ne sais, en vérité, ce que l'on peut vous souhaiter.

Puis il présenta une petite caisse que son domestique portait, et qui contenait une bruyère du Cap,[2] fleur nouvellement apportée en Europe et fort rare.

Mme des Grassins embrassa très affectueusement Eugénie, lui serra la main et lui dit:

— Adolphe s'est chargé de vous présenter mon petit souvenir.

Un grand jeune homme blond, pâle et frêle, ayant d'assez bonnes façons, timide en apparence, mais qui venait de dépenser à Paris, où il était allé faire son droit,[3] huit ou dix mille francs en sus de sa pension,[4] s'avança vers Eugénie, l'embrassa sur les deux joues, et lui offrit une boîte à ouvrage dont tous les ustensiles étaient en vermeil, véritable marchandise de pacotille,[5] malgré l'écusson sur lequel un E. G. assez bien gravé pouvait faire croire[6] à une façon très soignée. En l'ouvrant, Eugénie eut une de ces joies inespérées et complètes qui font rougir, tressaillir, trembler d'aise les jeunes filles. Elle tourna les yeux sur son père, comme pour savoir s'il lui était permis d'accepter, et M. Grandet dit un «Prends, ma fille!» dont l'accent eût illustré un acteur.[7] Les trois Cruchot restèrent stupéfaits en voyant le regard joyeux et animé lancé sur Adolphe des Grassins par l'héritière, à qui de semblables richesses parurent inouïes.

M. des Grassins offrit à Grandet une prise de tabac, en saisit une, secoua les grains tombés sur le ruban de la Légion d'honneur[1] attaché à la boutonnière de son habit bleu, puis regarda les Cruchot d'un air qui semblait dire:

— Parez-moi cette botte-là![2]

Mme des Grassins jeta les yeux sur les bocaux bleus où étaient les bouquets des Cruchot, en cherchant leurs cadeaux avec la bonne foi jouée d'une femme moqueuse.[3] Dans cette conjoncture délicate, l'abbé Cruchot laissa la société s'asseoir en cercle devant le feu et alla se promener au fond de la salle avec Grandet; puis quand ils furent dans l'embrasure de la fenêtre la plus éloignée des des Grassins:

— Ces gens-là, dit le prêtre à l'oreille de l'avare, jettent l'argent par les fenêtres.

— Qu'est-ce que cela fait,[4] s'il rentre dans ma cave? répliqua le vieux vigneron.

— Si vous vouliez donner des ciseaux d'or à votre fille, vous en auriez bien le moyen, dit l'abbé.

— Je lui donne mieux que des ciseaux, répondit Grandet.

— Mon neveu est une cruche, pensa l'abbé en regardant le président, dont les cheveux ébouriffés ajoutaient encore à la mauvaise grâce de sa physionomie brune. Ne pouvait-il inventer une petite bêtise qui eût du prix?

— Nous allons faire votre partie,[5] madame Grandet, dit Mme des Grassins.

— Mais nous sommes tous réunis, nous pouvons deux tables...[6]

— Puisque c'est la fête d'Eugénie, faites votre loto général,[7] dit le père Grandet, ces deux enfants en seront.

L'ancien tonnelier qui ne jouait jamais à aucun jeu, montra sa fille et Adolphe.

— Allons, Nanon, mets les tables.[1]

— Nous allons vous aider, mademoiselle Nanon, dit gaiement Mme des Grassins, toute joyeuse de la joie qu'elle avait causée à Eugénie.

— Je n'ai jamais de ma vie été si contente, lui dit l'héritière. Je n'ai rien vu de si joli nulle part.

— C'est Adolphe qui l'a rapportée de Paris et qui l'a choisie, lui dit Mme des Grassins à l'oreille.

— Va, va ton train, damnée intrigante![2] se disait le président; si tu es jamais en procès, toi ou ton mari, votre affaire aura du mal à être bonne...[3]

Le notaire, assis dans son coin, regardait l'abbé d'un air calme en se disant:

— Les des Grassins ont beau faire,[4] ma fortune, celle de mon frère et celle de mon neveu montent, en somme, à onze cent mille francs. Les des Grassins en ont tout au plus la moitié, et ils ont une fille: ils peuvent offrir ce qu'ils voudront! Héritière et cadeaux, tout sera pour nous un jour.

A huit heures et demie du soir, deux tables étaient dressées. La jolie Mme des Grassins avait réussi à mettre son fils à côté d'Eugénie. Les acteurs de cette scène pleine d'intérêt, quoique vulgaire en apparence, munis de cartons bariolés, chiffrés, et de jetons en verre bleu,[5] semblaient écouter les plaisanteries du vieux notaire, qui ne tirait pas un numéro sans faire une remarque; mais tous pensaient aux millions de M. Grandet.

Le vieux tonnelier contemplait vaniteusement les plumes roses, la toilette fraîche de Mme des Grassins, la tête martiale du banquier, celle d'Adolphe, le président, l'abbé, le notaire, et se disait intérieurement:

— Ils sont là pour mes écus. Ils viennent s'ennuyer ici pour ma fille. Hé! ma fille ne sera ni pour les uns ni pour les autres, et tous ces gens-là me servent de harpons pour pêcher!

Au moment où Mme Grandet gagnait un lot[1] de seize sous, le plus considérable qui eût jamais été ponté[2] dans cette salle, et que la grande Nanon riait d'aise en voyant Madame empochant cette riche somme, un coup de marteau retentit à la porte de la maison et y fit un si grand tapage, que les femmes sautèrent sur leurs chaises.

— Ce n'est pas un homme de Saumur qui frappe ainsi! dit le notaire.

— Peut-on cogner comme ça![3] dit Nanon. Veulent-ils casser notre porte?

— Quel diable est-ce? s'écria Grandet.

Nanon prit une des deux chandelles et alla ouvrir, accompagnée de Grandet.

— Grandet! Grandet! s'écria sa femme, qui, poussée par un vague sentiment de peur, s'élança vers la porte de la salle.

Tous les joueurs se regardèrent.

— Si[4] nous y allions? dit M. des Grassins. Ce coup de marteau me paraît malveillant.

A peine fut-il permis à M. des Grassins d'apercevoir la figure d'un jeune homme accompagné du facteur des messageries[5] qui portait deux malles énormes et traînait des sacs de nuit.[6] Grandet se retourna brusquement vers sa femme et lui dit:

— Madame Grandet, allez à votre loto. Laissez-moi m'entendre avec monsieur.[7]

Puis il tira vivement la porte de la salle, où les joueurs agités reprirent leurs places, mais sans continuer le jeu.

— Est-ce quelqu'un de Saumur, monsieur des Grassins? lui dit sa femme.

— Non, c'est un voyageur.

— Il ne peut venir que de Paris.

— En effet,[1] dit le notaire en tirant sa vieille montre épaisse de deux doigts et qui ressemblait à un vaisseau hollandais, il est *neuffe-s-heures*.[2] Peste! la diligence du Grand Bureau[3] n'est jamais en retard.

— Et ce monsieur est-il jeune? demanda l'abbé Cruchot.

— Oui, répondit M. des Grassins. Il apporte des bagages qui doivent peser au moins trois cents kilos.[4]

— Nanon ne revient pas, dit Eugénie.

— Ce ne peut être qu'un de vos parents,[5] dit le président.

— Faisons les mises,[6] s'écria doucement Mme Grandet. A sa voix, j'ai vu que M. Grandet était contrarié; peut-être ne serait-il pas content de s'apercevoir que nous parlons de ses affaires.

— Mademoiselle, dit Adolphe à sa voisine, ce sera sans doute votre cousin Grandet, un bien joli jeune homme que j'ai vu au bal de M. de Nucingen.[7]

Adolphe ne continua pas, sa mère lui marcha sur le pied; puis, en lui demandant à haute voix deux sous pour sa mise:

— Veux-tu te taire, grand nigaud![8] lui dit-elle à l'oreille.

En ce moment, Grandet rentra sans la grande Nanon, dont le pas et celui du facteur retentirent dans les escaliers. Il était suivi du voyageur qui depuis quelques instants excitait tant de curiosité et préoccupait si vivement les imaginations, que son arrivée en ce logis et sa chute au milieu de ce monde peut être comparée à celle d'un colimaçon dans une ruche, ou à l'introduction d'un paon dans quelque obscure basse-cour de village.

— Asseyez-vous auprès du feu, lui dit Grandet.

Avant de s'asseoir, le jeune étranger salua très gracieusement l'assemblée. Les hommes se levèrent pour répondre par une inclination polie, et les femmes firent une révérence cérémonieuse.

— Vous avez sans doute froid, monsieur? dit Mme Grandet; vous arrivez peut-être de...?

— Voilà bien les femmes![1] dit le vieux vigneron en quittant la lecture d'une lettre qu'il tenait à la main; laissez donc monsieur se reposer.

— Mais, mon père, monsieur a peut-être besoin de quelque chose, dit Eugénie.

— Il a une langue, répondit sévèrement le vigneron.

L'inconnu fut seul surpris de cette scène. Les autres personnes étaient faites[2] aux façons despotiques du bonhomme. Néanmoins, quand ces deux demandes et ces deux réponses furent échangées, l'inconnu se leva, présenta le dos au feu, leva l'un de ses pieds pour chauffer la semelle de ses bottes, et dit à Eugénie:

— Ma cousine, je vous remercie, j'ai dîné à Tours.[3] Et, ajouta-t-il en regardant Grandet, je n'ai besoin de rien, je ne suis même point fatigué.

— Monsieur vient de la capitale? demanda Mme des Grassins.

M. Charles, ainsi se nommait le fils de M. Grandet de Paris, en s'entendant interpeller, prit un petit lorgnon suspendu par une chaîne à son cou, l'appliqua sur son œil droit pour examiner ce qu'il y avait sur la table et les personnes qui y étaient assises, lorgna fort impertinemment Mme des Grassins, et lui dit, après avoir tout vu:

— Oui, madame. — Vous jouez au loto, ma tante, ajouta-t-il; je vous en prie, continuez votre jeu, il est trop amusant pour le quitter...

— J'étais sûre que c'était le cousin, pensait Mme des Grassins en lui jetant de petites œillades.

— 47, cria le vieil abbé. Marquez donc,[1] madame des Grassins, n'est-ce pas votre numéro?

M. des Grassins mit un jeton sur le carton de sa femme, qui, saisie par de tristes pressentiments, observa tour à tour le cousin de Paris et Eugénie, sans songer au loto. De temps en temps, la jeune héritière lança de furtifs regards à son cousin, et la femme du banquier put facilement y découvrir un *crescendo* d'étonnement ou de curiosité.

CHAPITRE II

LE COUSIN DE PARIS

M. Charles Grandet, beau jeune homme de vingt-deux ans, produisait en ce moment un singulier contraste avec les bons provinciaux que déjà ses manières aristocratiques révoltaient passablement, et que tous étudiaient pour se moquer de lui.

Afin de débuter convenablement chez son oncle, soit à Saumur, soit à Froidfond, il avait fait la toilette de voyage la plus coquette, la plus simplement recherchée, *la plus adorable* pour employer le mot qui dans ce temps résumait les perfections spéciales d'une chose ou d'un homme A Tours, un coiffeur venait de lui refriser ses beaux cheveux châtains; il y avait changé de linge et mis une cravate de satin noir, combinée avec un col rond de manière à encadrer agréablement sa blanche et rieuse figure. Une redingote de voyage à demi boutonnée lui pinçait la taille, et laissait voir un gilet de cachemire à châle[1] sous lequel était un second gilet blanc. Sa montre, négligemment abandonnée au hasard dans une poche, se rattachait par une courte chaîne d'or à l'une des boutonnières. Son pantalon gris se boutonnait sur les côtés, où des dessins brodés en soie noire enjolivaient les coutures. Il maniait agréablement une canne dont la pomme d'or sculptée n'altérait point la fraîcheur de ses gants gris. Enfin sa casquette était d'un goût excellent.

Eugénie, à qui le type d'une perfection semblable, soit dans la mise, soit dans la personne, était entièrement inconnu, crut voir en son cousin une créature descendue de quelque région séraphique. Elle respirait avec délices les parfums exhalés par cette chevelure si brillante, si gracieusement bouclée. Elle aurait voulu pouvoir toucher la peau satinée de ces jolis gants fins. Elle enviait les petites mains de Charles, son teint, la fraîcheur et la délicatesse de ses traits.

Ses manières, ses gestes, la façon dont il prenait son lorgnon, son impertinence affectée, son mépris pour le coffret qui venait de faire tant de plaisir à la riche héritière et qu'il trouvait évidemment ou sans valeur ou ridicule; enfin, tout ce qui choquait les Cruchot et les des Grassins lui plaisait si fort, qu'avant de s'endormir elle dut rêver longtemps à ce phénix des cousins.[2]

Les numéros se tiraient fort lentement, mais bientôt le loto fut arrêté. La grande Nanon entra et dit tout haut:

— Madame, va falloir[3] me donner des draps pour faire le lit à ce monsieur.

Mme Grandet suivit Nanon. Mme des Grassins dit alors à voix basse:

— Gardons nos sous et laissons le loto.

Chacun reprit ses deux sous dans la vieille soucoupe écornée où il les avait mis; puis l'assemblée se remua en masse et fit un quart de conversion vers le feu.[1]

— Vous avez donc fini? dit Grandet sans quitter sa lettre.

— Oui, oui, répondit Mme des Grassins en venant prendre place[2] près de Charles.

Eugénie, mue par une de ces pensées qui naissent au cœur des jeunes filles quand un sentiment s'y loge pour la première fois, quitta la salle pour aller aider sa mère et Nanon. Elle arriva fort heureusement pour prouver à celles-ci qui revenaient pensant avoir tout fait, que tout était à faire.[3] Elle donna l'idée à la grande Nanon de bassiner les draps avec la braise du feu; elle couvrit elle-même la vieille table d'un napperon, et recommanda bien à Nanon de changer le napperon tous les matins. Elle convainquit sa mère de la nécessité d'allumer un bon feu dans la cheminée, et détermina Nanon à monter, sans en rien dire à son père, un gros tas de bois dans le corridor. Elle courut chercher dans une des encoignures de la salle un plateau de vieux laque,[4] y prit également un verre de cristal à six pans,[5] une petite cuiller dédorée, un flacon antique où étaient gravés des Amours, et mit triomphalement le tout sur un coin de la cheminée. Il lui avait plus surgi d'idées en un quart d'heure qu'elle n'en avait eu depuis qu'elle était au monde.

— Maman, dit-elle, jamais mon cousin ne supportera l'odeur d'une chandelle. Si nous achetions de la bougie?[6]...

Elle alla, légère comme un oiseau, tirer de sa bourse l'écu

de cent sous[1] qu'elle avait reçu pour ses dépenses du mois.

— Tiens, Nanon, dit-elle, va vite.

— Mais que dira ton pére?

Cette objection terrible fut proposée par Mme Grandet en voyant sa fille armée d'un sucrier de vieux sèvres[2] rapporté du château de Froidfond par Grandet.

— Et où prendras-tu donc du sucre? es-tu folle?

— Maman, Nanon achètera aussi bien du sucre que de la bougie.

— Mais ton père?

— Serait-il convenable que son neveu ne pût boire un verre d'eau sucrée?[3] D'ailleurs, il n'y fera pas attention.

— Ton père voit tout, dit Mme Grandet en hochant la tête.

Nanon hésitait, elle connaissait son maître.

— Mais va donc, Nanon, puisque c'est ma fête!

Nanon laissa échapper un gros rire en entendant la première plaisanterie que sa jeune maîtresse eût jamais faite, et lui obéit.

Pendant qu'Eugénie et sa mère s'efforçaient d'embellir la chambre destinée par M. Grandet à son neveu, le père Grandet lisait toujours sa lettre. L'inattention, ou pour mieux dire, la préoccupation dans laquelle le plongeait cette lecture n'échappa ni au notaire ni au président, qui tâchaient d'en conjecturer le contenu par les imperceptibles mouvements de la figure du bonhomme, alors fortement éclairée par la chandelle. Le vigneron maintenait difficilement le calme habituel de sa physionomie. D'ailleurs, chacun pourra se peindre la contenance affectée par M. Grandet en lisant la fatale lettre que voici:

«Mon frère,

«Voici bientôt vingt-trois ans que nous ne nous sommes vus. Mon mariage a été l'objet de notre dernière entrevue, après laquelle nous nous sommes quittés joyeux l'un et l'autre. Certes, je ne pouvais guère prévoir que tu serais un jour le seul soutien de la famille, à la prospérité de laquelle tu applaudissais alors. Quand tu tiendras cette lettre en tes mains, je n'existerai plus. Dans la position où j'étais, je n'ai pas voulu survivre à la honte d'une faillite.[1] Je me suis tenu sur le bord du gouffre jusqu'au dernier moment, espérant surnager toujours. Il faut y tomber. Les banqueroutes réunies de mon agent de change et de Roguin,[2] mon notaire, m'emportent mes dernières ressources et ne me laissent rien. J'ai la douleur de devoir près de quatre millions sans pouvoir offrir plus de vingt-cinq pour cent d'actif.[3] Mes vins emmagasinés éprouvent en ce moment la baisse ruineuse que causent l'abondance et la qualité de vos récoltes. Dans trois jours, Paris dira: «M. Grandet était un fripon!» Je me coucherai, moi probe, dans un linceul d'infamie. Je ravis à mon fils et son nom que j'entache et la fortune de sa mère. Il ne sait rien de cela, ce malheureux enfant que j'idolâtre. Nous nous sommes dit adieu tendrement. Il ignorait, par bonheur, que les derniers flots de ma vie s'épanchaient dans cet adieu. Te voilà donc le père de Charles! il n'a point de parents du côté maternel. Il n'a plus de famille. O mon malheureux fils! mon fils!... Écoute, Grandet, je ne suis pas venu t'implorer pour moi; mais pour mon fils! Sache-le bien, mon frère, mes mains suppliantes se sont jointes en pensant à toi. Grandet, je te confie Charles en mourant. Enfin je regarde mes pistolets sans douleur, en pensant que tu lui serviras de père. Pauvre enfant! accoutumé aux jouissances du luxe,[1] il ne connaît aucune des privations auxquelles nous a condamnés l'un et l'autre notre première misère[2]... Et le voilà ruiné, seul! Je te l'ai donc envoyé pour que tu lui apprennes convenablement et ma mort et son sort à venir. Sois un père pour lui, mais un bon père. Ne l'arrache pas tout à coup à sa vie oisive, tu le tuerais. Révèle-lui les dures conditions de la vie que je lui fais; et, s'il me conserve sa tendresse, dis-lui bien en mon nom que tout n'est pas perdu pour lui. Oui, le travail, qui nous a sauvés tous deux, peut lui rendre la fortune que je lui emporte; et, s'il veut écouter la voix de son père, qui pour lui voudrait sortir un moment du tombeau, qu'il parte, qu'il aille aux Indes! Mon frère, Charles est un jeune homme probe et courageux: tu lui feras une pacotille,[3] il mourrait plutôt que de ne pas te rendre les premiers fonds que tu lui prêteras; car tu lui en prêteras, Grandet! sinon tu te créerais des remords. Ah! si mon enfant ne trouvait ni secours ni tendresse en toi, je demanderais éternellement vengeance à Dieu de ta dureté. Si j'avais pu sauver quelques valeurs, j'avais bien le droit de lui remettre une somme sur le bien de sa mère; mais les payements de ma fin du mois avaient absorbé toutes mes ressources. Je n'aurais pas voulu mourir dans le doute sur le sort de mon enfant; j'aurais voulu sentir de saintes promesses dans la chaleur de ta main, qui m'eût réchauffé; mais le temps me manque. Pendant que Charles voyage, je suis obligé de dresser mon bilan.[4] Je tâche de prouver par la bonne foi qui préside à mes affaires qu'il n'y a dans mes désastres ni faute ni improbité. N'est-ce pas m'occuper de Charles? — Adieu, mon frère. Que toutes les bénédictions de Dieu te soient acquises[5] pour la généreuse tutelle que je te confie, et que tu acceptes, je n'en doute pas. Il y aura sans cesse une voix qui priera pour toi dans le monde où nous devons aller tous un jour, et où je suis déjà.

«Victor-Ange-Guillaume GRANDET.»

— Vous causez donc? dit le père Grandet en pliant avec exactitude la lettre dans les mêmes plis et la mettant dans la poche de son gilet.

Il regarda son neveu d'un air humble et craintif, sous lequel il cacha ses émotions et ses calculs.

— Vous êtes-vous réchauffé?

— Très bien, mon cher oncle.

— Eh bien, où sont donc nos femmes? dit l'oncle oubliant déjà que son neveu couchait chez lui.

En ce moment, Eugénie et Mme Grandet rentrèrent.

— Tout est-il arrangé là-haut? leur demanda le bonhomme en retrouvant son calme.

— Oui, mon père.

— Eh bien, mon neveu, si vous êtes fatigué, Nanon va vous conduire à votre chambre. Dame,[1] ce ne sera pas un appartement de mirliflore! Mais vous excuserez de pauvres vignerons qui n'ont jamais le sou.[2] Les impôts nous avalent tout.

— Nous ne voulons pas être indiscrets, Grandet, dit le banquier. Vous pouvez avoir à jaser avec votre neveu, nous vous souhaitons le bonsoir. A demain.

A ces mots, l'assemblée se leva, et chacun fit la révérence suivant son caractère. Le vieux notaire alla chercher sous la porte sa lanterne, et vint l'allumer en offrant aux des Grassins de les reconduire. Mme des Grassins n'avait pas prévu l'incident qui devait faire finir prématurément la soirée, et son domestique n'était pas arrivé.

— Voulez-vous me faire l'honneur d'accepter mon bras, madame? dit l'abbé Cruchot à Mme des Grassins.

— Merci, monsieur l'abbé. J'ai mon fils, répondit-elle sèchement.

Lorsque les quatre parents se trouvèrent seuls dans la salle, M. Grandet dit à son neveu:

— Il faut se coucher. Il est trop tard pour causer des affaires qui vous amènent ici; nous prendrons demain un moment convenable. Ici, nous déjeunons à huit heures. A midi, nous mangeons un fruit, un rien de pain sur le pouce,[1] et nous buvons un verre de vin blanc; puis nous dînons, comme les Parisiens, à cinq heures. Voilà l'ordre. Si vous voulez voir la ville ou les environs, vous serez libre comme l'air. Vous m'excuserez si mes affaires ne me permettent pas toujours de vous accompagner. Vous les entendrez peut-être tous ici vous disant que je suis riche: «M. Grandet par-ci, M. Grandet par-là!» Je les laisse dire, leurs bavardages ne nuisent point à mon crédit. Mais je n'ai pas le sou, et je travaille à mon âge comme un jeune compagnon,[2] qui n'a pour tout bien qu'une mauvaise plane et deux bons bras. Vous verrez peut-être bientôt par vous-même ce que coûte un écu quand il faut le suer.[3] — Allons, Nanon, les chandelles!

— J'espère, mon neveu, que vous trouverez tout ce dont vous aurez besoin, dit Mme Grandet; mais, s'il vous manquait quelque chose, vous pourrez appeler Nanon.

— Ma chère tante, ce serait difficile; j'ai, je crois, emporté toutes mes affaires! Permettez-moi de vous souhaiter une bonne nuit, ainsi qu'à ma jeune cousine.

Charles prit des mains de Nanon une bougie allumée, une bougie d'Anjou, bien jaune de ton, vieillie en boutique et si pareille à de la chandelle que Grandet, incapable d'en soupçonner l'existence au logis, ne s'aperçut pas de cette magnificence.

— Je vais vous montrer le chemin, dit le bonhomme.

Le père Grandet avait logé son neveu au second étage[1] dans la haute mansarde située au-dessus de sa chambre de manière à pouvoir l'entendre, s'il lui prenait fantaisie d'aller et de venir.[2]

Quand Eugénie et sa mère arrivèrent au milieu du palier, elles se donnèrent le baiser du soir; puis, après avoir dit à Charles quelques mots d'adieu, froids sur les lèvres, mais certes chaleureux au cœur de la fille, elles rentrèrent dans leurs chambres.

— Vous voilà chez vous, mon neveu, dit le père Grandet à Charles en lui ouvrant sa porte. Si vous aviez besoin de sortir, vous appelleriez Nanon. Sans elle, votre serviteur![3] le chien vous mangerait sans vous dire un seul mot. Dormez bien. Bonsoir... Ha! ha! ces dames vous ont fait du feu, reprit-il.

Puis l'avare descendit en grommelant de vagues paroles. Charles demeura pantois au milieu de ses malles. Après avoir jeté les yeux sur les murs d'une chambre en mansarde tendue de ce papier jaune en bouquets de fleurs qui tapisse les guinguettes, sur une cheminée en pierre de liais cannelée[4] dont le seul aspect donnait froid, sur des chaises de bois jaune garnies en canne vernissée et qui semblaient avoir plus de quatre angles, sur une table de nuit ouverte dans laquelle aurait pu tenir un petit sergent de voltigeurs,[5] sur le maigre tapis de lisière[6] placé au bas d'un lit à ciel[7] dont les pentes en drap tremblaient comme si elles allaient tomber, achevées par les vers, il regarda sérieusement la grande Nanon et lui dit:

— Ah çà![8] ma chère enfant, suis-je bien chez M. Grandet, l'ancien maire de Saumur, frère de M. Grandet de Paris?

— Oui, monsieur, chez un ben[1] aimable, un ben doux, un ben parfait monsieur. Faut-il que[2] je vous aide à défaire vos malles?

— Ma foi, je le veux bien, mon vieux troupier! N'avez vous pas servi dans les marins de la garde impériale?[3]

— Oh! oh! oh! oh! dit Nanon, quoi que c'est[4] que ça, les marins de la garde? C'est-il[5] salé? Ça va-t-il sur l'eau?

— Tenez, cherchez ma robe de chambre qui est dans cette valise. En voici la clef.

Nanon fut tout émerveillée de voir une robe de chambre en soie verte à fleurs d'or et à dessins antiques.

— Vous allez mettre ça pour vous coucher? dit-elle.

— Oui.

— Sainte Vierge! le beau devant d'autel[6] que ça ferait pour la paroisse. Mais, mon cher mignon monsieur, donnez donc ça à l'église, vous sauverez votre âme, tandis que ça vous la fera perdre. Oh! que vous êtes donc gentil comme ça! Je vais appeler mademoiselle pour qu'elle vous regarde.

— Allons, Nanon, puisque Nanon il y a,[7] voulez-vous vous taire! Laissez-moi me coucher, j'arrangerai mes affaires demain; et, si ma robe vous plaît tant, vous sauverez votre âme. Je suis trop bon chrétien pour vous la refuser en m'en allant, et vous pourrez en faire tout ce que vous voudrez.

Nanon resta plantée sur ses pieds,[8] contemplant Charles, sans pouvoir ajouter foi à ses paroles.

— Me donner ce bel atour![9] dit-elle en s'en allant. Il rêve déjà, ce monsieur. Bonsoir.

— Bonsoir, Nanon.

— Qu'est-ce que je suis venu faire ici? se dit Charles en s'endormant. Mon père n'est pas un niais, mon voyage doit avoir un but. Psch![1] A demain les affaires sérieuses, disait je ne sais quelle ganache grecque.

— Sainte Vierge! qu'il est gentil, mon cousin! se dit Eugénie en interrompant ses prières, qui, ce soir-là, ne furent pas finies.

Mme Grandet n'eut aucune pensée en se couchant. Elle entendait, par la porte de communication qui se trouvait au milieu de la cloison, l'avare se promenant de long en long dans sa chambre. Semblable à toutes les femmes timides, elle avait étudié le caractère de son seigneur. De même que la mouette prévoit l'orage, elle avait, à d'imperceptibles signes, pressenti la tempête intérieure qui agitait Grandet. Alors pour employer l'expression dont elle se servait, elle faisait la morte.[2]

Grandet regardait la porte intérieurement doublée en tôle qu'il avait fait mettre à son cabinet, et se disait:

— Quelle idée bizarre a eue mon frère de me léguer son enfant! Jolie succession! je n'ai pas vingt écus à donner. Mais qu'est-ce que vingt écus pour ce mirliflore, qui lorgnait mon baromètre comme s'il avait voulu en faire du feu!

En songeant aux conséquences de ce testament de douleur, Grandet était peut-être plus agité que ne l'était son frère au moment où il le traça.

— J'aurais cette robe d'or?... disait Nanon, qui s'endormit habillée de son devant d'autel, rêvant de fleurs, de tapis, de damas, pour la première fois de sa vie, comme Eugénie rêva d'amour.

CHAPITRE III

AMOURS DE PROVINCE

Matinale comme toutes les filles de province, Eugénie se leva de bonne heure, fit sa prière, et commença l'œuvre de sa toilette, occupation qui désormais allait avoir un sens. Elle lissa d'abord ses cheveux châtains, tordit leurs grosses nattes au-dessus de sa tête avec le plus grand soin, en évitant que les cheveux ne s'échappassent de leurs tresses, et introduisit dans sa coiffure une symétrie qui rehaussa la timide candeur de son visage, en accordant la simplicité des accessoires à la naïveté des lignes. Puis en se lavant plusieurs fois les mains dans de l'eau pure qui lui durcissait et rougissait la peau, elle regarda ses beaux bras ronds, et se demanda ce que faisait son cousin pour avoir les mains si mollement blanches, les ongles si bien façonnés. Elle mit des bas neufs et ses plus jolis souliers. Elle se laça droit, sans passer d'œillets. Enfin souhaitant pour la première fois de sa vie, de paraître à son avantage, elle connut le bonheur d'avoir une robe fraîche, bien faite, et qui la rendait attrayante.

Quand sa toilette fut achevée, elle entendit sonner l'horloge de la paroisse, et s'étonna de ne compter que sept heures. Le désir d'avoir tout le temps nécessaire pour se bien habiller l'avait fait lever trop tôt. Ignorant l'art de remanier dix fois une boucle de cheveux et d'en étudier l'effet, Eugénie se croisa tout bonnement les bras, s'assit à sa fenêtre, contempla la cour, le jardin étroit et les hautes terrasses qui le dominaient; vue mélancolique, bornée, mais qui n'était pas dépourvue des mystérieuses beautés particulières aux endroits solitaires ou à la nature inculte.

Puis vinrent de tumultueux mouvements d'âme. Elle se leva fréquemment, se mit devant son miroir et s'y regarda, comme un auteur de bonne foi contemple son œuvre pour se critiquer et se dire des injures à lui-même.

— Je ne suis pas assez belle pour lui!

Telle était la pensée d'Eugénie, pensée humble et fertile en souffrances.

La pauvre fille ne se rendait pas justice; mais la modestie, ou mieux la crainte, est une des premières vertus de l'amour. Eugénie appartenait bien à ce type d'enfants fortement constitués, comme ils le sont dans la petite bourgeoisie,[1] et dont les beautés paraissent vulgaires; mais, si elle ressemblait à la Vénus de Milo,[2] ses formes étaient ennoblies par cette suavité du sentiment chrétien, qui purifie la femme et lui donne une distinction inconnue aux sculpteurs anciens. Elle avait une tête énorme, le front masculin, mais délicat du Jupiter de Phidias,[3] et des yeux gris auxquels sa chaste vie, en s'y portant tout entière, imprimait une lumière jaillissante.[4] Les traits de son visage rond, les contours de sa tête, que l'expression du plaisir[5] n'avait jamais ni altérés ni fatigués, ressemblaient aux lignes d'horizon si doucement tranchées dans le lointain des lacs tranquilles.[6] Cette physionomie calme, colorée, bordée d'une lueur comme une jolie fleur éclose, reposait l'âme, communiquait le charme de la conscience qui s'y reflétait, et commandait le regard.

Eugénie était encore sur la rive de la vie où fleurissent les illusions enfantines, où se cueillent les marguerites avec des délices plus tard inconnues. Aussi se dit-elle en se mirant, sans savoir encore ce qu'était l'amour:

— Je suis trop laide, il ne fera pas attention à moi...

Puis elle ouvrit la porte de sa chambre qui donnait sur l'escalier, et tendit le cou pour écouter les bruits de la maison.

— Il ne se lève pas, pensa-t-elle en entendant la tousserie matinale de Nanon, et la bonne fille allant, venant, balayant la salle, allumant son feu, enchaînant le chien et parlant à ses bêtes dans l'écurie.

Aussitôt Eugénie descendit et courut à Nanon, qui trayait la vache.

— Nanon, ma bonne Nanon, fais[1] donc de la crème pour le café de mon cousin.

— Mais, mademoiselle, il aurait fallu s'y prendre hier, dit Nanon, qui partit d'un gros éclat de rire. Je ne peux pas faire de la crème. Votre cousin est mignon, mignon, mais vraiment mignon.[2] Vous ne l'avez pas vu dans sa chambrelouque[3] de soie et d'or. Je l'ai vu, moi. Il porte du linge fin comme le surplis de M. le curé.[4]

— Nanon, fais-nous donc de la galette.[5]

— Et qui me donnera du bois pour le four, et de la farine, et du beurre? dit Nanon, laquelle, en sa qualité de premier ministre de Grandet, prenait parfois une importance énorme aux yeux d'Eugénie et de sa mère. Faut-il pas[6] le voler, cet homme, pour fêter votre cousin? Demandez-lui du beurre, de la farine, du bois; il est votre père, il peut vous en donner. Tenez, le voilà qui descend pour voir aux provisions...

Eugénie se sauva dans le jardin, tout épouvantée en entendant trembler l'escalier. Pour la première fois, elle eut dans le cœur de la terreur à l'aspect de son père, vit en lui le maître de son sort, et se crut coupable d'une faute en lui taisant quelques pensées. Elle se mit à marcher à pas précipités, en s'étonnant de respirer un air plus pur, de sentir les rayons du soleil plus vivifiants et d'y puiser une chaleur morale, une vie nouvelle.

Pendant qu'elle cherchait un artifice pour obtenir la galette, il s'élevait entre la grande Nanon et Grandet une de ces querelles aussi rares entre eux que le sont les hirondelles en hiver. Muni de ses clefs, le bonhomme était venu pour mesurer les vivres nécessaires à la consommation de la journée.

— Reste-t-il du pain d'hier? dit-il à Nanon.

— Pas une miette, monsieur.

Grandet prit un gros pain rond, bien enfariné, moulé dans un de ces paniers plats qui servent à boulanger en Anjou, et il allait le couper, quand Nanon lui dit:

— Nous sommes cinq aujourd'hui, monsieur.

— C'est vrai, répondit Grandet, mais ton pain pèse six livres, il en restera. D'ailleurs, ces jeunes gens de Paris, tu verras que ça ne mange point de pain.

— Ça mange donc de la frippe?[1] dit Nanon.

— Non, répondit Grandet, ça ne mange ni frippe ni pain. Ils sont quasiment comme des filles à marier.[2]

Enfin, après avoir parcimonieusement ordonné le menu quotidien, le bonhomme allait se diriger vers son fruitier, en fermant néanmoins les armoires de sa depénse,[3] lorsque Nanon l'arrêta pour lui dire:

— Monsieur, donnez-moi donc alors de la farine et du beurre, je ferai une galette aux enfants.

— Ne vas-tù pas mettre la maison au pillage à cause de mon neveu?[4]

— Je ne pensais pas plus à votre neveu qu'à votre chien, pas plus que vous n'y pensez vous-même... Ne voilà-t-il pas que vous ne m'avez aveint[5] que six morceaux de sucre! m'en faut[6] huit.

— Ah çà! Nanon, je ne t'ai jamais vue comme ça. Qu'est-ce qui te passe donc par la tête? Es-tu la maîtresse ici? Tu n'auras que six morceaux de sucre.

— Eh bien, votre neveu, avec quoi donc qu'il[1] sucrera son café?

— Avec deux morceaux; je m'en passerai, moi.

— Vous vous passerez de sucre à votre âge! J'aimerais mieux vous en acheter de ma poche.

— Mêle-toi de ce qui te regarde.[2]

Toutes les femmes, même la plus niaise, savent ruser pour arriver à leurs fins: Nanon abandonna la question du sucre pour obtenir la galette.

— Mademoiselle, cria-t-elle par la croisée, est-ce pas[3] que vous voulez de la galette?

— Non, non, répondit Eugénie.

— Allons, Nanon, dit Grandet en entendant la voix de sa fille, tiens...

Il ouvrit la mette[4] où était la farine, lui en donna une mesure, et ajouta quelques onces de beurre au morceau qu'il avait déjà coupé.

— Il faudra du bois pour chauffer le four, dit l'implacable Nanon.

— Eh bien, tu en prendras à ta suffisance, répondit-il mélancoliquement; mais, alors, tu nous feras une tarte aux fruits, et tu nous cuiras au four tout le dîner; par ainsi,[5] tu n'allumeras pas deux feux.

— Quien![6] s'écria Nanon, vous n'avez pas besoin de me le dire.

Grandet jeta sur son fidèle ministre un coup d'œil presque paternel.

— Mademoiselle, cria la cuisinière, nous aurons une galette!

Le père Grandet revint chargé de ses fruits, et en rangea une assiettée sur la table de la cuisine.

— Monsieur, est-ce que vous ne mettrez pas une ou deux fois le pot-au-feu[1] par semaine à cause de votre...?

— Oui.

— Faudra[2] que j'aille à la boucherie.

— Pas du tout; tu nous feras du bouillon de volaille, les fermiers ne t'en laisseront pas chômer.[3] Mais je vais dire à Cornoiller de me tuer des corbeaux. Ce gibier-là donne le meilleur bouillon de la terre.

— C'est-il vrai,[4] monsieur, que ça mange les morts?

— Tu es bête, Nanon! Ils mangent, comme tout le monde, ce qu'ils trouvent. Est-ce que nous ne vivons pas de morts?... Qu'est-ce que les successions?[5]

Le père Grandet, n'ayant plus d'ordres à donner, tira sa montre, et, voyant qu'il pouvait encore disposer d'une demi-heure avant le déjeuner, il prit son chapeau, vint embrasser sa fille et lui dit:

— Veux-tu te promener au bord de la Loire, sur mes prairies? J'ai quelque chose à y faire.

Eugénie alla mettre son chapeau de paille cousue, doublé de taffetas rose; puis le père et la fille descendirent la rue tortueuse jusqu'à la place.

— Où dévalez-vous donc si matin?[6] dit le notaire Cruchot, qui rencontra Grandet.

— Voir quelque chose, répondit le bonhomme sans être la dupe de la promenade matinale de son ami.

Quand le père Grandet allait *voir quelque chose*, le notaire savait par expérience qu'il y avait toujours quelque chose à gagner avec lui. Donc, il l'accompagna.

— Venez, Cruchot, dit Grandet au notaire. Vous êtes de mes amis;[7] je vais vous démontrer comme quoi c'est une bêtise[1] de planter des peupliers dans de bonnes terres...

Grandet était arrivé aux magnifiques prairies qu'il possédait au bord de la Loire, et où trente ouvriers s'occupaient à déblayer, combler, niveler[2] les emplacements autrefois pris par les peupliers.

— Maître Cruchot, voyez ce qu'un peuplier prend de terrain, dit-il au notaire. — Jean, cria-t-il à un ouvrier, me... me... mesure avec la toise dans tou... tou... tous les sens!

— Quatre fois huit pieds,[3] répondit l'ouvrier après avoir fini.

— Trente-deux pieds de perte, dit Grandet à Cruchot. J'avais sur cette ligne trois cents peupliers, pas vrai? Or... trois ce... ce... ce... cent fois trente-d...eux pieds me man... man... geaient cinq... inq cents de foin;[4] ajoutez deux fois autant sur les côtés, quinze cents; les rangées du milieu autant. Alors, mé... mé... mettons[5] trois mille bottes de foin.

— Eh bien, dit Cruchot pour aider son ami, trois mille bottes de ce foin-là valent environ dix-huit cents francs.

— Di... di... dites deux mille, à cause des trois à quatre cents francs de regain.[6] Eh bien, ca... ca... ca... calculez ce que... que... que deux mille francs par an, pen... pen... pendant quarante ans, do... donnent a... a... avec les in... in... intérêts com... com... composés que... que... que vou... ous sa... a... avez.

— Va pour[7] cent mille francs dit le notaire.

— Je le veux bien! ça ne... ne... ne fera que... que... que cent mille francs. Eh bien, reprit le vigneron sans bégayer, deux mille cinq cents peupliers de quarante ans ne me donneraient pas soixante-quinze mille francs. Il y a perte. J'ai trouvé ça, moi! dit Grandet en se dressant sur ses ergots.[1] — Jean, reprit-il, tu combleras les trous, excepté du côté de la Loire, où tu planteras les peupliers que j'ai achetés. En les mettant dans la rivière, ils se nourriront aux frais du gouvernement, ajouta-t-il en se tournant vers Cruchot et imprimant à la loupe de son nez un léger mouvement qui valait le plus ironique des sourires.

— Cela est clair: les peupliers ne doivent se planter que sur les terres maigres, dit Cruchot, stupéfait par les calculs de Grandet.

— O-u-i, monsieur, répondit ironiquement le tonnelier.

Eugénie regardait le sublime paysage de la Loire sans écouter les calculs de son père, mais elle prêta de loin l'oreille en entendant Me Cruchot dire à son client:

— Eh bien, vous avez fait venir un gendre de Paris; il n'est question que de votre neveu dans tout Saumur. Je vais bientôt avoir un contrat à dresser, père Grandet?

— Vous... ou... vous êtes so... so... orti de bo... bonne heure pou... our me dire ça, reprit Grandet en accompagnant cette réflection d'un mouvement de sa loupe. Eh bien, mon vieux cama... arade, je serai franc, et je vous dirai ce que vou... ous vou... oulez sa... savoir. J'aimerais mieux, voyez-vous, je... jeter ma fi... fi... fille dans la Loire que de la do... onner à son cou... ou... ousin: vous pou... pou... ouvez a... annoncer ça. Mais non, laissez ja... aser le mon... onde.

Cette réponse causa des éblouissements à Eugénie. Depuis la veille, elle s'attachait à Charles par tous les liens de bonheur qui unissent les âmes; désormais la souffrance allait les corroborer. N'est-il pas dans la noble destinée de la femme d'être plus touchée des pompes de la misère que des splendeurs de la fortune?[2] Comment le sentiment paternel avait-il pu s'éteindre au fond du cœur de son père? De quel crime Charles était-il donc coupable? Questions mystérieuses! Déjà son amour naissant, mystère si profond, s'enveloppait de mystères. Elle revint tremblant sur ses jambes, et, en arrivant à la vieille rue sombre, si joyeuse pour elle, elle la trouva d'un aspect triste, elle y respira la mélancolie que les temps et les choses y avaient imprimée.

A quelques pas du logis, elle devança son père et l'attendit à la porte après y avoir frappé. Mais Grandet, qui voyait dans la main du notaire un journal encore sous bande, lui avait dit:

— Où en sont les fonds?[1]

— Vous ne voulez pas m'écouter, Grandet, lui répondit Cruchot. Achetez-en vite, il y a encore vingt pour cent à gagner en deux ans, outre les intérêts à un excellent taux, cinq mille livres de rente pour quatre-vingt mille francs. Les fonds sont à 80 fr. 50 cent.

— Nous verrons cela, répondit Grandet en se frottant le menton.

— Mon Dieu! dit le notaire, qui avait ouvert son journal.

— Eh bien, quoi? s'écria Grandet au moment où Cruchot lui mettait le journal sous les yeux en lui disant: «Lisez cet article.»

«M. Grandet, l'un des négociants les plus estimés de Paris, s'est brûlé la cervelle hier, après avoir fait son apparition accoutumée à la Bourse. Il avait envoyé au président de la Chambre des députés[2] sa démission, et s'était également démis de ses fonctions de juge au tribunal de commerce. Les faillites de MM. Roguin et Souchet, son agent de change et son notaire, l'ont ruiné. La considération dont jouissait M. Grandet et son crédit étaient néanmoins tels, qu'il eût sans doute trouvé des secours sur la place[1] de Paris. Il est à regretter que cet homme honorable ait cédé à un premier moment de désespoir; etc.

— Je le savais, dit le vieux vigneron au notaire.

Ce mot glaça maître Cruchot, qui, malgré son impassibilité de notaire, se sentit froid dans le dos en pensant que le Grandet de Paris avait peut-être imploré vainement les millions du Grandet de Saumur.

— Et son fils, si joyeux hier...?

— Il ne sait rien encore, répondit Grandet avec le même calme.

— Adieu, monsieur Grandet, dit Cruchot, qui comprit tout et alla rassurer le président de Bonfons.

En rentrant, Grandet trouva le déjeuner[2] prêt. Mme Grandet, au cou de laquelle Eugénie sauta pour l'embrasser avec cette vive effusion de cœur que nous cause un chagrin secret, était déjà sur son siège à patins, et se tricotait des manches[3] pour l'hiver.

— Vous pouvez manger, dit Nanon, qui descendit les escaliers quatre à quatre, l'enfant dort comme un chérubin. Qu'il est gentil, les yeux fermés! Je suis entrée, je l'ai appelé. Ah bien oui![4] personne.

— Laisse-le dormir, dit Grandet, il s'éveillera toujours assez tôt aujourd'hui pour apprendre de mauvaises nouvelles.

— Qu'y a-t-il donc? demanda Eugénie en mettant dans son café les deux petits morceaux de sucre pesant on ne sait combien de[5] grammes que le bonhomme s'amusait à couper lui-même à ses heures perdues.[6]

Mme Grandet, qui n'avait pas osé taire cette question, regarda son mari.

— Son père s'est brûlé la cervelle.

— Mon oncle!... dit Eugénie.

— Le pauvre jeune homme! s'écria Mme Grandet.

— Oui, pauvre, reprit Grandet, il ne possède pas un sou.

— Eh ben, il dort comme s'il était le roi de la terre, dit Nanon d'un accent doux.

Eugénie cessa de manger. Son cœur se serra comme le cœur se serre quand, pour la première fois, la compassion, excitée par le malheur de celui qu'elle aime, s'épanche dans le corps entier d'une femme. La jeune fille pleura.

— Tu ne connaissais pas ton oncle, pourquoi pleures-tu? lui dit son père en lui lançant un de ces regards de tigre affamé qu'il jetait sans doute à ses tas d'or.

— Mais, monsieur, dit la servante, qui ne se sentirait pas de pitié pour ce pauvre jeune homme, qui dort comme un sabot[1] sans savoir son sort?

— Je ne te parle pas, Nanon! tiens ta langue.

Eugénie apprit en ce moment que la femme qui aime doit toujours dissimuler ses sentiments. Elle ne répondit pas.

— Jusqu'à mon retour vous ne lui parlerez de rien, j'espère, madame Grandet, dit le vieillard en continuant. Je suis obligé d'aller faire aligner le fossé de mes prés sur la route. Je serai revenu à midi pour le second déjeuner,[2] et je causerai avec mon neveu de ses affaires. Quant à toi, mademoiselle Eugénie, si c'est pour ce mirliflore que tu pleures, assez comme cela,[3] mon enfant. Il partira dare dare[4] pour les Grandes Indes. Tu ne le verras plus...

Le père prit ses gants au bord de son chapeau, les mit avec son calme habituel, les assujettit en s'emmortaisant[1] les doigts les uns dans les autres, et sortit.

— Ah! maman, j'étouffe! s'écria Eugénie quand elle fut seule avec sa mère. Je n'ai jamais souffert ainsi.

Mme Grandet, voyant sa fille pâlir, ouvrit la croisée et lui fit respirer le grand air.

— Je suis mieux, dit Eugénie après un moment.

Cette émotion nerveuse chez une nature jusqu'alors en apparence calme et froide réagit sur Mme Grandet, qui regarda sa fille avec cette intuition sympathique dont sont douées les mères pour l'objet de leur tendresse, et devina tout.

— Ma pauvre enfant! dit Mme Grandet en prenant la tête d'Eugénie pour l'appuyer contre son sein.

A ces mots, la jeune fille releva la tête, interrogea sa mère par un regard, en scruta les secrètes pensées, et lui dit:

— Pourquoi l'envoyer aux Indes? S'il est malheureux, ne doit-il pas rester ici? N'est-il pas notre plus proche parent?

— Oui, mon enfant, ce serait bien naturel; mais ton père a ses raisons, nous devons les respecter.

La mère et la fille s'assirent en silence, l'une sur sa chaise à patins, l'autre sur son petit fauteuil; et, toutes deux, elles reprirent leur ouvrage. Oppressée de reconnaissance pour l'admirable entente de cœur[2] que lui avait témoignée sa mère, Eugénie lui baisa la main en disant:

— Combien tu es bonne, ma chère maman![3]

Ces paroles firent rayonner le vieux visage maternel, flétri par de longues douleurs.

— Le trouves-tu bien?[4] demanda Eugénie.

Mme Grandet ne répondit que par un sourire; puis, après un moment de silence, elle dit à voix basse:

— L'aimerais-tu donc déjà? Ce serait mal.[1]

— Mal, reprit Eugénie, pourquoi? Il te plaît, il plaît à Nanon, pourquoi ne me plairait-il pas? Tiens, maman, mettons la table pour son déjeuner.

Elle jeta son ouvrage, la mère en fit autant[2] en lui disant:

— Tu es folle!

Mais elle se plut à justifier la folie de sa fille en la partageant.

Eugénie appela Nanon.

— Quoi que vous voulez encore, mamselle?[3]

— Nanon, tu auras bien de la crème pour midi?

— Ah! pour midi, oui, répondit la vieille servante.

— Eh bien, donne-lui du café bien fort; j'ai entendu dire à M. des Grassins que le café se faisait bien fort à Paris. Mets-en beaucoup.

— Et où voulez-vous que j'en prenne?[4]

— Achètes-en.

— Et si monsieur[5] me rencontre?

— Il est à ses prés.

— Je cours. Mais M. Fessard m'a déjà demandé si les trois Mages[6] étaient chez nous, en me donnant de la bougie. Toute la ville va savoir nos déportements.[7]

— Si ton père s'aperçoit de quelque chose, dit Mme Grandet, il est capable de[8] nous battre.

— Eh bien, il nous battra, nous recevrons ses coups à genoux.

Mme Grandet leva les yeux au ciel pour toute réponse. Nanon prit sa coiffe et sortit.

Eugénie donna du linge blanc, elle alla chercher quelques-unes des grappes de raisin qu'elle s'était amusée à étendre sur des cordes dans le grenier; elle marcha légèrement le long du corridor pour ne point éveiller son cousin, et ne put s'empêcher d'écouter à sa porte la respiration qui s'échappait en temps égaux de ses lèvres.

— Le malheur veille pendant qu'il dort, se dit-elle.

Elle prit les plus vertes feuilles de la vigne, arrangea son raisin aussi coquettement que l'aurait pu dresser un vieux chef d'office,[1] et l'apporta triomphalement sur la table. Elle fit main basse,[2] dans la cuisine, sur les poires comptées par son père, et les disposa en pyramide parmi des feuilles. Elle allait, venait, trottait, sautait. Elle aurait bien voulu mettre à sec[3] toute la maison de son père, mais il avait les clefs de tout. Nanon revint avec deux œufs frais. En voyant les œufs, Eugénie eut l'envie de lui sauter au cou.

— Le fermier de la Lande en avait dans son panier, je les lui ai demandés, et il me les a donnés pour m'être agréable, le vieux.

Après deux heures de soins, pendant lesquelles Eugénie quitta vingt fois son ouvrage pour aller voir bouillir le café, pour aller écouter le bruit que faisait son cousin en se levant, elle réussit à préparer un déjeuner très simple, peu coûteux, mais qui dérogeait terriblement aux habitudes invétérées de la maison. Le déjeuner de midi s'y faisait debout. Chacun prenait un peu de pain, un fruit[4] ou du beurre, et un verre de vin. En voyant la table placée auprès du feu, l'un des fauteuils mis devant le couvert de son cousin, en voyant les deux assiettées de fruits, le coquetier, la bouteille de vin blanc, le pain, et le sucre amoncelé dans une soucoupe, Eugénie trembla de tous ses membres en songeant seulement alors aux regards que lui lancerait son père s'il venait à[5] rentrer en ce moment. Aussi regardait-elle souvent la pendule, afin de calculer si son cousin pourrait déjeuner avant le retour du bonhomme.

— Sois tranquille,[1] Eugénie; si ton père vient, je prendrai tout sur moi, dit Mme Grandet.

Eugénie ne put retenir une larme.

— Oh! ma bonne mère, s'écria-t-elle, je ne t'ai pas assez aimée!

Charles, après avoir fait mille tours dans sa chambre en chantonnant, descendit enfin. Heureusement, il n'était encore que onze heures. Il entra de cet air affable et riant qui sied si bien à la jeunesse, et qui causa une joie triste à Eugénie. Il avait pris en plaisanterie le désastre de ses châteaux en Anjou,[2] et aborda sa tante fort gaiement.

— Avez-vous bien passé la nuit, ma chère tante? Et vous, ma cousine?

— Bien, monsieur; mais vous? dit Mme Grandet.

— Moi, parfaitement.

— Vous devez avoir faim, mon cousin, dit Eugénie; mettez-vous à table.

— Mais je ne déjeune jamais avant midi, le moment où je me lève. Cependant, j'ai si mal vécu en route, que je me laisserai faire.[3] D'ailleurs...

Il tira la plus délicieuse montre plate[4] que Bréguet ait faite.

— Tiens, mais il est onze heures, j'ai été matinal.

— Matinal?... dit Mme Grandet.

— Oui, mais je voulais ranger mes affaires. Eh bien, je mangerais volontiers quelque chose, un rien, une volaille, un perdreau.

— Sainte Vierge! cria Nanon en entendant ces paroles.

— Un perdreau, se disait Eugénie, qui aurait voulu payer un perdreau de tout son pécule.

— Venez vous asseoir, lui dit sa tante.

Le dandy se laissa aller sur le fauteuil comme une jolie femme qui se pose sur son divan. Eugénie et sa mère prirent des chaises et se mirent près de lui, devant le feu.

— Vous vivez toujours ici? leur dit Charles en trouvant la salle encore plus laide au jour qu'elle ne l'était aux lumières.

— Toujours, répondit Eugénie en le regardant, excepté pendant les vendanges. Nous allons alors aider Nanon, et logeons à l'abbaye de Noyers.

—Vous ne vous promenez jamais?

— Quelquefois le dimanche, après vêpres, quand il fait beau, dit Mme Grandet, nous allons sur le pont, ou voir les foins quand on les fauche.

— Avez-vous un théâtre?

— Aller au spectacle! s'écria Mme Grandet, voir des comédiens! Mais, monsieur, ne savez-vous pas que c'est un péché mortel?

— Tenez, mon cher monsieur, dit Nanon en apportant les œufs, nous vous donnerons les poulets à la coque.[1]

— Oh! des œufs frais! dit Charles, qui, semblable aux gens habitués au luxe, ne pensait déjà plus à son perdreau. Mais c'est délicieux! Si vous aviez du beurre, hein,[2] ma chère enfant?

— Ah! du beurre! Vous n'aurez donc pas de galette? dit la servante.

— Mais donne du beurre, Nanon! s'écria Eugénie.

La jeune fille examinait son cousin coupant ses mouillettes[3] et y prenait plaisir. Élevé par une mère gracieuse, perfectionné par des femmes à la mode, Charles avait des mouvements coquets, élégants, menus, comme le sont ceux d'une petite-maîtresse. La compatissance et la tendresse d'une jeune fille possèdent une influence vraiment magnétique. Aussi Charles, en se voyant l'objet des attentions de sa cousine et de sa tante, ne put-il se soustraire à l'influence des sentiments qui se dirigeaient vers lui en l'inondant, pour ainsi dire.[1] Il jeta sur Eugénie un de ces regards brillants de bonté, de caresses, un regard qui semblait sourire. Il s'aperçut, en contemplant Eugénie, de l'exquise harmonie des traits de ce pur visage, de son innocente attitude, de la clarté magique de ses yeux, où scintillaient de jeunes pensées d'amour.

— Ma foi, ma chère cousine, si vous étiez en grande loge et en grande toilette[2] à l'Opéra, je vous garantis que ma tante aurait bien raison, vous y feriez faire bien des péchés d'envie aux hommes et de jalousie aux femmes.

Ce compliment étreignit le cœur d'Eugénie[3] et le fit palpiter de joie, quoiqu'elle n'y comprît rien.

— Oh! mon cousin, vous voulez vous moquer d'une pauvre petite provinciale.

— Si vous me connaissiez, ma cousine, vous sauriez que j'abhorre la raillerie: elle flétrit le cœur, froisse tous les sentiments...

Et il goba fort agréablement sa mouillette beurrée.

— Non, je n'ai probablement pas assez d'esprit pour me moquer des autres, et ce défaut me fait beaucoup de tort.[4] A Paris, on trouve moyen de vous assassiner un homme en disant: «Il a bon cœur.» Cette phrase veut dire: «Le pauvre garçon est bête comme un rhinocéros.» Mais, comme je suis riche, et connu pour abattre une poupée du premier coup à trente pas avec toute espèce de pistolet, et en plein champ,[5] la raillerie me respecte.

— Ce que vous dites, mon neveu, annonce un bon cœur.

— Vous avez une bien jolie bague, dit Eugénie; est-ce mal[1] de vous demander à la voir?

Charles tendit la main en défaisant son anneau, et Eugénie rougit en effleurant du bout de ses doigts les ongles roses de son cousin.

— Voyez, ma mére, le beau travail!

— Oh! il y a gros d'or![2] dit Nanon en apportant le café.

— Qu'est-ce que c'est que cela? demanda Charles en riant.

Et il montrait un pot oblong, en terre brune, verni, faïencé à l'intérieur, bordé d'une frange de cendre, et au fond duquel tombait le café en revenant à la surface du liquide bouillonnant.[3]

— C'est du café boullu,[4] dit Nanon.

— Ah! ma chère tante, je laisserai du moins quelque trace bienfaisante de mon passage ici. Vous êtes bien arriérés! Je vous apprendrai à faire de bon café dans une cafetière à la Chaptal.[5]

Il tenta d'expliquer le système de la cafetière à la Chaptal.

— Ah ben! s'il y a tant d'affaires que ça, dit Nanon, il faudrait ben y passer sa vie. Jamais je ne ferai de café comme ça. Ah ben oui![6] Et qui est-ce qui ferait[7] de l'herbe pour notre vache pendant que je ferais le café!

— C'est moi qui le ferai, dit Eugénie.

— Enfant! dit Mme Grandet en regardant sa fille.

A ce mot, qui rappelait le chagrin près de fondre sur ce malheureux jeune homme, les trois femmes se turent et le contemplèrent d'un air de commisération qui le frappa.

— Qu'avez-vous donc, ma cousine?

— Chut! dit Mme Grandet à Eugénie, qui allait répondre. Tu sais, ma fille, que ton père s'est chargé de parler à monsieur...

— Dites Charles, dit le jeune Grandet.

— Ah! vous vous nommez Charles? C'est un beau nom, s'écria Eugénie.

Les malheurs pressentis arrivent presque toujours. Là,[1] Nanon, Mme Grandet et Eugénie, qui ne pensaient pas sans frisson au retour du vieux tonnelier, entendirent un coup de marteau dont le retentissement leur était bien connu.

— Voilà papa! dit Eugénie.

Elle ôta la soucoupe au sucre en laissant quelques morceaux sur la nappe. Nanon emporta l'assiette aux œufs. Mme Grandet se dressa comme une biche effrayée. Ce fut une peur panique,[2] de laquelle Charles s'étonna sans pouvoir se l'expliquer.

— Eh bien, qu'avez-vous donc? leur demanda-t-il.

— Mais voilà mon père, dit Eugénie.

— Eh bien?...

M. Grandet entra, jeta son regard clair sur la table, sur Charles, il vit tout.

— Ah! ah! vous avez fait fête à votre neveu, c'est bien, très bien, c'est fort bien! dit-il sans bégayer. Quand le chat court sur les toits, les souris dansent sur les planchers.

— Fête?... se dit Charles, incapable de soupçonner le régime et les mœurs de cette maison.

— Donne-moi mon verre, Nanon, dit le bonhomme.

Eugénie apporta le verre. Grandet tira de son gousset un couteau de corne à grosse lame, coupa une tartine, prit un peu de beurre, l'étendit soigneusement, et se mit à manger debout. En ce moment, Charles sucrait son café. Le père Grandet aperçut les morceaux de sucre, examina sa femme, qui pâlit et fit trois pas; il se pencha vers l'oreille de la pauvre vieille et lui dit:

— Où donc avez-vous pris tout ce sucre?

— Nanon est allée en chercher chez Fessard, il n'y en avait pas.

Il est impossible de se figurer l'intérêt profond que cette scène muette offrait à ces trois femmes, car Nanon avait quitté sa cuisine et regardait dans la salle pour voir comment les choses s'y passeraient.

Charles, ayant goûté son café, le trouva trop amer et chercha le sucre que Grandet avait déjà serré.

— Que voulez-vous, mon neveu? lui dit le bonhomme.

— Le sucre.

— Mettez du lait, répondit le maître de la maison, votre café s'adoucira.

Eugénie reprit la soucoupe au sucre et la mit sur la table en contemplant son père d'un air calme. Charles ne devait jamais être dans le secret des profondes agitations qui brisaient le cœur de sa cousine, alors foudroyée par le regard du vieux tonnelier.

— Tu ne manges pas, ma femme?

La pauvre ilote s'avança, coupa piteusement un morceau de pain et prit une poire. Eugénie offrit audacieusement à son père du raisin, en lui disant:

— Goûte donc à[1] ma conserve, papa! — Mon cousin, vous en mangerez, n'est-ce pas? Je suis allée chercher ces jolies grappes-là pour vous.

— Oh! si on ne les arrête, elles mettront Saumur au pillage pour vous, mon neveu. Quand vous aurez fini, nous irons ensemble dans le jardin, j'ai des choses assez tristes à vous dire.

Eugénie et sa mère lancèrent un regard sur Charles, à l'expression duquel le jeune homme ne put se tromper.

— Qu'est-ce que ces mots signifient, mon oncle? Depuis la mort de ma pauvre mère... (à ces deux mots, sa voix mollit), il n'y a pas de malheur possible pour moi...

— Mon neveu, qui peut connaître les afflictions par lesquelles Dieu veut nous éprouver? lui dit sa tante.

— Ta ta ta ta! dit Grandet, voilà les bêtises qui commencent. Je vois avec peine,[1] mon neveu, vos jolies mains blanches.

Il lui montra les espèces d'épaules de mouton que la nature lui avait mises au bout des bras.

— Voilà des mains faites pour ramasser des écus! Vous avez été élevé à mettre vos pieds dans la peau avec laquelle se fabriquent les portefeuilles où nous serrons les billets de commerce.[2] Mauvais! mauvais!

— Que voulez-vous dire, mon oncle? Je veux être pendu si je comprends un seul mot.

— Venez, dit Grandet.

L'avare fit claquer la lame de son couteau, but le reste de son vin blanc et ouvrit la porte.

— Mon cousin, ayez du courage!

L'accent de la jeune fille avait glacé Charles, qui suivit son terrible parent en proie à de mortelles inquiétudes. Eugénie, sa mère et Nanon vinrent dans la cuisine, excitées par une invincible curiosité à épier les deux acteurs de la scène qui allait se passer dans le petit jardin humide, où l'oncle marcha d'abord silencieusement avec le neveu.

Grandet n'était pas embarrassé pour apprendre à Charles la mort de son père, mais il éprouvait une sorte de compassion en le sachant sans un sou, et il cherchait des formules pour adoucir l'expression de cette cruelle vérité.

«Vous avez perdu votre père!» ce n'était rien à dire. Les pères meurent avant les enfants. Mais: «Vous êtes sans aucune espèce de fortune!» tous les malheurs de la terre étaient réunis dans ces paroles. Et le bonhomme de faire,[1] pour la troisième fois, le tour de l'allée du milieu, dont le sable craquait sous les pieds.

Dans les grandes circonstances de la vie, notre âme s'attache fortement aux lieux où les plaisirs et les chagrins fondent sur nous. Aussi Charles examinait-il avec une attention particulière les buis de ce petit jardin, les feuilles pâles qui tombaient, les dégradations des murs, les bizarreries des arbres fruitiers, détails pittoresques qui devaient rester gravés dans son souvenir, éternellement mêlés à cette heure suprême, par une mnémotechnie[2] particulière aux passions.

— Il fait bien chaud, bien beau, dit Grandet en aspirant une forte partie d'air.[3]

— Oui, mon oncle... Mais pourquoi...?

— Eh bien, mon garçon, reprit l'oncle, j'ai de mauvaises nouvelles à t'apprendre. Ton père est bien mal...

— Pourquoi suis-je ici? dit Charles. — Nanon, cria-t-il, des chevaux de poste![4] Je trouverai bien une voiture dans le pays, ajouta-t-il en se tournant vers son oncle, qui demeurait immobile.

— Les chevaux et la voiture sont inutiles, répondit Grandet.

Charles resta muet, pâlit, et ses yeux devinrent fixes.

— Oui, mon pauvre garçon, tu devines. Il est mort. Mais ce n'est rien. Il y a quelque chose de plus grave, il s'est brûlé la cervelle...

— Mon père!...

— Oui. Mais ce n'est rien. Les journaux glosent de cela[1] comme s'ils en avaient le droit. Tiens, lis.

Grandet, qui avait emprunté le journal de Cruchot, mit le fatal article sous les yeux de Charles.

En ce moment, le pauvre jeune homme, encore enfant, encore dans l'âge où les sentiments se produisent avec naïveté, fondit en larmes.

— Allons, bien, se dit Grandet. Ses yeux m'effrayaient. Il pleure, le voilà sauvé. — Ce n'est encore rien, mon pauvre neveu, reprit Grandet à haute voix, sans savoir si Charles l'écoutait, ce n'est rien, tu te consoleras; mais...

— Jamais! jamais! Mon père! mon père!

— Il t'a ruiné, tu es sans argent.

— Qu'est-ce que cela me fait?[2] Où est mon père?... mon père!

Les pleurs et les sanglots retentissaient entre ces murailles d'une horrible façon et se répercutaient dans les échos. Les trois femmes, saisies de pitié, pleuraient: les larmes sont aussi contagieuses que peut l'être le rire. Charles, sans écouter son oncle, se sauva dans la cour, trouva l'escalier, monta dans sa chambre et se jeta en travers sur son lit en se mettant la face dans les draps pour pleurer à son aise loin de ses parents.

— Il faut laisser passer la première averse, dit Grandet en rentrant dans la salle, où Eugénie et sa mère avaient brusquement repris leurs places, et travaillaient d'une main tremblante après s'être essuyé les yeux. Mais ce jeune homme n'est bon à rien, il s'occupe plus des morts que de l'argent.

Eugénie frissonna en entendant son père s'exprimant ainsi sur la plus sainte des douleurs. Dès ce moment, elle commença à juger son père. Quoique assourdis, les sanglots de Charles retentissaient dans cette sonore maison; et sa plainte profonde, qui semblait sortir de dessous terre, ne cessa que vers le soir, après s'être graduellement affaiblie.

— Pauvre jeune homme! dit Mme Grandet.

Fatale exclamation! Le père Grandet regarda sa femme, Eugénie et le sucrier; il se souvint du déjeuner extraordinaire apprêté pour le parent malheureux, et se posa au milieu de la salle.

— Ah çà![1] j'espère, dit-il avec son calme habituel, que vous n'allez pas continuer vos prodigalités, madame Grandet. Je ne vous donne pas MON argent pour embucquer[2] de sucre ce jeune drôle.

— Ma mère n'y est pour rien, dit Eugénie. C'est moi qui...

— Est-ce parce que tu es majeure, reprit Grandet en interrompant sa fille, que tu voudrais me contrarier? Songe,[3] Eugénie...

— Mon père, le fils de votre frère ne devait pas manquer chez vous de...

— Ta ta ta ta! dit le tonnelier sur quatre tons chromatiques,[4] le fils de mon frère par-ci, mon neveu par-là. Charles ne nous est de rien, il n'a ni sou, ni maille;[5] son père a fait faillite; et, quand ce mirliflore aura pleuré son soûl,[6] il décampera d'ici; je ne veux pas qu'il révolutionne ma maison.

— Qu'est-ce que c'est, mon père, que de faire faillite? demanda Eugénie.

— Faire faillite, reprit le père, c'est commettre l'action la plus déshonorante entre toutes celles qui peuvent déshonorer l'homme.

— Ce doit être un bien grand péché, dit Mme Grandet, et notre frère serait damné.

— Allons, voilà tes litanies,[1] dit-il à sa femme en haussant les épaules. — Faire faillite, Eugénie, reprit-il, est un vol que la loi prend malheureusement sous sa protection. Des gens ont donné leurs denrées à Guillaume Grandet, sur sa réputation d'honneur et de probité; puis il a tout pris, et ne leur laisse que les yeux pour pleurer. Le voleur de grands chemins est préférable au banqueroutier: celui-là vous attaque, vous pouvez vous défendre, il risque sa tête; mais l'autre... Enfin Charles est déshonoré.

Ces mots retentirent dans le cœur de la pauvre fille et y pesèrent de tout leur poids. Probe, autant qu'une fleur née au fond d'une forêt est délicate, elle ne connaissait ni les maximes du monde, ni ses raisonnements captieux, ni ses sophismes:[2] elle accepta donc l'atroce explication que son père lui donnait à dessein de la faillite, sans lui faire connaître la distinction qui existe entre une faillite involontaire et une faillite calculée.[3]

— Eh bien, mon père, vous n'avez donc pas pu empêcher ce malheur?

— Mon frère ne m'a pas consulté; d'ailleurs, il doit quatre millions.

— Qu'est-ce que c'est donc qu'un million, mon père? demanda-t-elle avec la naïveté d'un enfant qui croit pouvoir trouver promptement ce qu'il désire.

— Un million? dit Grandet. Mais c'est un million de pièces de vingt sous, et il faut[4] cinq pièces de vingt sous pour faire cinq francs.

— Mon Dieu! mon Dieu! s'écria Eugénie, comment mon oncle avait-il eu à lui quatre millions? Y a-t-il quelque autre personne en France qui puisse avoir autant de millions?

Le père Grandet se caressait le menton, souriait, et sa loupe semblait se dilater.

— Mais que va devenir mon cousin Charles?[1]

— Il va partir pour les Grandes-Indes, où, selon le vœu de son père, il tâchera de faire fortune.

— Mais a-t-il de l'argent pour aller là?

— Je lui payerai son voyage... jusqu'à Nantes.[2]

Eugénie sauta au cou de son père.

— Ah! mon père, vous êtes bon, vous!

Elle l'embrassait de manière à rendre presque honteux Grandet, que sa conscience harcelait un peu.

— Faut-il beaucoup de temps pour amasser un million? lui demanda-t-elle.

— Dame, dit le tonnelier, tu sais ce que c'est qu'un napoléon; eh bien, il en faut cinquante mille pour faire un million.

— Maman, nous ferons dire des neuvaines[3] pour lui.

— J'y pensais, répondit la mère.

— C'est cela! toujours dépenser de l'argent! s'écria le père. Ah çà! est-ce que vous croyez qu'il y a des mille et des cents[4] ici?

En ce moment, une plainte sourde, plus lugubre que toutes les autres, retentit dans les greniers et glaça de terreur Eugénie et sa mère.

— Nanon, va voir là-haut s'il ne se tue pas, dit Grandet. — Ah çà! reprit-il en se tournant vers sa femme et sa fille, que son mot avait rendues pâles, pas de bêtises, vous deux! Je vous laisse. Je vais tourner autour de nos Hollandais,[5] qui s'en vont aujourd'hui. Puis j'irai voir Cruchot, et causer avec lui de tout ça.

Il partit. Quand Grandet eut tiré la porte, Eugénie et sa mère respirèrent à leur aise. Avant cette matinée, jamais la fille n'avait senti de contrainte en présence de son père; mais, depuis quelques heures, elle changeait à tout moment et de sentiments et d'idées.

— Maman, combien de louis a-t-on d'une pièce de vin?

— Ton père vend les siennes entre cent et cent cinquante francs, quelquefois deux cents, à ce que j'ai entendu dire.

— Quand il récolte quatorze cents pièces de vin...?

— Ma foi, mon enfant, je ne sais pas ce que cela fait; ton père ne me dit jamais ses affaires.

— Mais alors, papa doit être riche.

— Peut-être. Mais M. Cruchot m'a dit qu'il avait acheté Froidfond il y a deux ans. Ça l'aura gêné.[1]

Eugénie, ne comprenant plus rien à la fortune de son père, en resta là de[2] ses calculs.

— Il ne m'a tant seulement point vue, le mignon![3] dit Nanon en revenant. Il est étendu comme un veau sur son lit, et pleure comme une Madeleine, que c'est une vraie bénédiction![4]

— Allons donc le consoler bien vite, maman; et, si l'on frappe, nous descendrons.

Mme Grandet fut sans défense contre les harmonies de la voix de sa fille. Eugénie était sublime, elle était femme!

Toutes deux, le cœur palpitant, montèrent à la chambre de Charles. La porte était ouverte. Le jeune homme ne voyait ni n'entendait rien. Plongé dans les larmes, il poussait des sons inarticulés.

— Comme il aime son père! dit Eugénie à voix basse.

Il était impossible de méconnaître dans l'accent de ces paroles les espérances d'un cœur à son insu passionné.[5]

Aussi Mme Grandet jeta-t-elle à sa fille un regard empreint de maternité; puis, tout bas à l'oreille:

— Prends garde, tu l'aimerais, dit-elle.

— L'aimer! reprit Eugénie. Ah! si tu savais ce que mon père a dit!

Charles se retourna, aperçut sa tante et sa cousine.

— J'ai perdu mon père, mon pauvre père! S'il m'avait confié le secret de son malheur, nous aurions travaillé tous deux à le réparer. Mon Dieu! mon bon père! je comptais si bien le revoir, que je l'ai, je crois, froidement embrassé...

Les sanglots lui coupèrent la parole.

— Nous prierons bien pour lui, dit Mme Grandet. Résignez-vous à la volonté de Dieu.

— Mon cousin, dit Eugénie, prenez courage! Votre perte est irréparable: ainsi songez maintenant à sauver votre honneur...

Avec cet instinct, cette finesse de la femme qui a de l'esprit en toute chose,[1] même quand elle console, Eugénie voulait tromper la douleur de son cousin en l'occupant de lui-même.

— Mon honneur!... cria le jeune homme en chassant[2] ses cheveux par un mouvement brusque.

Et il s'assit sur son lit en se croisant les bras.

— Ah! c'est vrai. Mon père, disait mon oncle, a fait faillite.

Il poussa un cri déchirant et se cacha le visage dans ses mains.

— Laissez-moi, ma cousine, laissez-moi! Mon Dieu! mon Dieu! pardonnez à mon père, il a dû bien souffrir.

Il y avait quelque chose d'horriblement attachant[3] à l'expression de cette douleur jeune, vraie, sans calcul, sans arrière-pensée. C'était une pudique douleur que les cœurs simples d'Eugénie et de sa mère comprirent quand Charles fit un geste pour leur demander de l'abandonner à lui-même. Elles descendirent, reprirent en silence leurs places près de la croisée, et travaillèrent pendant une heure environ sans se dire un mot. Eugénie avait aperçu, par le regard furtif qu'elle jeta sur le ménage[1] du jeune homme, ce regard des jeunes filles qui voient tout en un clin d'œil, les jolies bagatelles de sa toilette,[2] ses ciseaux, ses rasoirs enrichis d'or. Cette échappée[3] d'un luxe vu à travers la douleur lui rendit Charles encore plus intéressant, par contraste peut-être. Jamais un événement si grave, jamais un spectacle si dramatique n'avait frappé l'imagination de ces deux créatures, incessamment plongées dans le calme et la solitude.

— Maman, dit Eugénie, nous porterons le deuil de mon oncle.

— Ton père décidera de cela, répondit Mme Grandet.

Vers quatre heures, un coup de marteau brusque retentit au cœur de Mme Grandet.

— Qu'a donc ton père? dit-elle à sa fille.

Le vigneron entra joyeux. — Ma femme, dit-il, je les ai tous attrapés.[4] Notre vin est vendu! Les Hollandais et les Belges partaient ce matin, je me suis promené sur la place, devant leur auberge, en ayant l'air de bêtiser.[5] Chose,[6] que tu connais, est venu à moi. Les propriétaires de tous les bons vignobles gardent leur récolte et veulent attendre, je ne les en ai pas empêchés. Notre Belge était désespéré. J'ai vu cela. Affaire faite, il prend notre récolte à deux cents francs la pièce, moitié comptant.[7] Je suis payé en or. Les billets[8] sont faits, voilà six louis pour toi. Dans trois mois, les vins baisseront.

Après avoir fait un ou deux tours dans la salle, il monta promptement à son cabinet pour y méditer un placement dans les fonds publics. Il chiffra sa spéculation sur le journal où la mort de son frère était annoncée, en entendant, sans les écouter, les gémissements de son neveu.

Nanon vint cogner au mur pour inviter son maître à descendre; le dîner était servi. Sous la voûte et à la dernière marche de l'escalier, Grandet disait en lui-même:

— Puisque je toucherai mes intérêts à huit,[1] je ferai cette affaire. En deux ans, j'aurai quinze cent mille francs, que je retirerai de Paris en bon or. — Eh bien, où donc est mon neveu?

— Il dit qu'il ne veut pas manger, répondit Nanon. Ça n'est pas sain.

— Autant d'économisé, répliqua son maître.

— Dame, *voui*,[2] dit-elle.

— Bah! il ne pleurera pas toujours. La faim chasse le loup hors du bois.

Le dîner fut étrangement silencieux.

— Mon bon ami,[3] dit Mme Grandet lorsque la nappe fut ôtée, il faut que nous prenions le deuil.

— En vérité, madame Grandet, vous ne savez quoi inventer pour dépenser de l'argent. Le deuil est dans le cœur et non dans les habits.

— Mais le deuil d'un frère est indispensable, et l'Église nous ordonne de...

— Achetez votre deuil sur vos six louis, vous me donnerez un crêpe, cela me suffira.

Eugénie leva les yeux au ciel sans mot dire. Pour la première fois dans sa vie, ses généreux penchants endormis, comprimés, mais subitement éveillés, étaient à tout moment froissés. Cette soirée fut semblable en apparence à mille soirées de leur existence monotone, mais ce fut certes la plus horrible. Eugénie travailla sans lever la tête, et ne se servit point du nécessaire que Charles avait dédaigné la veille. Mme Grandet tricota ses manches. Grandet tourna ses pouces pendant quatre heures, abîmé dans des calculs dont les résultats devaient, le lendemain, étonner Saumur.

— Couchons-nous, dit-il enfin. J'irai dire bonsoir à mon neveu pour tout le monde, et voir s'il veut prendre quelque chose.

Mme Grandet resta sur le palier du premier étage pour entendre la conversation qui allait avoir lieu entre Charles et le bonhomme. Eugénie, plus hardie que sa mère, monta deux marches.

— Eh bien, mon neveu, vous avez du chagrin? Oui, pleurez, c'est naturel. Un père est un père. Mais faut[1] prendre notre mal en patience. Je m'occupe de vous pendant que vous pleurez. Je suis bon parent, voyez-vous. Allons, du courage. Voulez-vous boire un petit verre de vin?

Le vin ne coûte rien à Saumur; on y offre du vin comme dans les Indes une tasse de thé.

— Mais, dit Grandet en continuant, vous êtes sans lumière? Mauvais! mauvais! faut voir clair à ce que l'on fait.

Grandet marcha vers la cheminée.

— Tiens! s'écria-t-il, voilà de la bougie. Où diable a-t-on pêché de la bougie? Les garces[2] démoliraient le plancher de ma maison pour cuire des œufs à ce garçon-là.

En entendant ces mots, la mère et la fille rentrèrent dans leurs chambres et se fourrèrent dans leurs lits avec la célérité de souris effrayées qui rentrent dans leurs trous.

Troublée par les événements de la journée, Eugénie s'éveilla à plusieurs reprises pour écouter son cousin, croyant en avoir entendu les soupirs qui depuis la veille lui retentissaient au cœur: tantôt elle le voyait expirant de chagrin, tantôt elle le rêvait mourant de faim. Vers le matin, elle entendit certainement une terrible exclamation. Aussitôt elle se vêtit, et accourut au petit jour, d'un pied léger, auprès de son cousin, qui avait laissé sa porte ouverte. La bougie avait brûlé dans la bobèche du flambeau. Charles, vaincu par la nature, dormait habillé, assis dans un fauteuil, la tête renversée sur le lit; il rêvait comme rêvent les gens qui ont l'estomac vide. Eugénie put pleurer à son aise; elle put admirer ce jeune et beau visage, marbré par la douleur, ces yeux gonflés par les larmes et qui, tout endormis, semblaient encore verser des pleurs. Charles devina sympathiquement la présence d'Eugénie, il ouvrit les yeux, il la vit attendrie.

— Pardon, ma cousine, dit-il, ne sachant évidemment ni l'heure qu'il était, ni le lieu où il se trouvait.

— Il y a des cœurs qui vous entendent ici, mon cousin, et *nous* avons cru que vous aviez besoin de quelque chose. Vous devriez vous coucher, vous vous fatiguez en restant ainsi.

— Cela est vrai.

— Eh bien, adieu.

Elle se sauva, honteuse et heureuse d'être venue. L'innocence ose seule de telles hardiesses. Instruite, la vertu calcule aussi bien que le vice. Eugénie, qui auprès de son cousin n'avait pas tremblé, put à peine se tenir sur ses jambes quand elle fut dans sa chambre.

Son ignorante vie[1] avait cessé tout à coup, elle raisonna, se fit mille reproches.

— Quelle idée va-t-il prendre de moi? Il croira que je l'aime.

Une heure après, elle entra chez sa mère, et l'habilla suivant son habitude. Puis elles vinrent s'asseoir à leurs places devant la fenêtre, et attendirent Grandet avec cette anxiété qui glace le cœur ou l'échauffe, le serre ou le dilate, suivant les caractères, alors que l'on redoute une scène, une punition; sentiment d'ailleurs si naturel, que les animaux domestiques l'éprouvent au point de crier pour le faible mal d'une correction, eux qui se taisent quand ils se blessent par inadvertance. Le bonhomme descendit, mais il parla d'un air distrait à sa femme, embrassa Eugénie, et se mit à table sans paraître penser à ses menaces de la veille.

— Que devient mon neveu? L'enfant n'est pas gênant.

— Monsieur, il dort, répondit Nanon.

— Tant mieux, alors il n'a pas besoin de bougie, dit Grandet d'un ton goguenard.

Cette clémence insolite, cette amère gaieté, frappèrent Mme Grandet, qui regarda son mari fort attentivement.

Le bonhomme...

Ici, peut-être est-il convenable de faire observer qu'en Touraine, en Anjou, en Poitou, dans la Bretagne,[2] le mot *bonhomme*, déjà souvent employé pour désigner Grandet, est décerné aux hommes les plus cruels comme aux plus bonasses,[3] aussitôt qu'ils sont arrivés à un certain âge. Ce titre ne préjuge rien sur la mansuétude individuelle[4]... Le bonhomme donc prit son chapeau, ses gants, et dit:

— Je vais muser sur la place pour rencontrer nos Cruchot.

— Eugénie, ton père a décidément quelque chose.

En effet, peu dormeur, Grandet employait la moitié de ses nuits aux calculs préliminaires qui donnaient à ses vues, à ses observations, à ses plans, leur étonnante justesse et leur assuraient cette constante réussite de laquelle s'émerveillaient les Saumurois. Il avait ourdi une trame pour se moquer des Parisiens. Son neveu l'avait occupé. Il voulait sauver l'honneur de son frère mort sans qu'il en coutât un sou ni à son neveu ni à lui, et il avait décidé de commencer ce soir même la comédie dont le plan venait d'être conçu, afin d'être le lendemain l'objet de l'admiration de sa ville.

CHAPITRE IV

PROMESSES D'AVARE, SERMENTS D'AMOUR

En l'absence de son père, Eugénie eut le bonheur de pouvoir s'occuper ouvertement de son bien-aimé cousin, d'épancher sur lui sans crainte les trésors de sa pitié. Elle grimpa lestement dans le vieil escalier pour écouter le bruit qu'il faisait. S'habillait-il? pleurait-il encore? Elle vint jusqu'à la porte.

— Mon cousin!

— Ma cousine?

— Voulez-vous déjeuner dans la salle ou dans votre chambre?

— Où vous voudrez.

— Comment vous trouvez-vous?

— Ma chère cousine, j'ai honte d'avoir faim.

Cette conversation à travers la porte était pour Eugénie tout un épisode de roman.

— Eh bien, nous vous apporterons à déjeuner[1] dans votre chambre, afin de ne pas contrarier mon père.

Elle descendit dans la cuisine avec la légèreté d'un oiseau.

— Nanon, va donc faire sa chambre.

Lorsque la chambre de Charles fut faite, Eugénie et sa mère allèrent toutes deux tenir compagnie au malheureux: la charité chrétienne n'ordonnait-elle pas de le consoler? Charles Grandet se vit donc l'objet des soins les plus affectueux et les plus tendres. Son cœur endolori sentit vivement la douceur de cette amitié veloutée,[2] de cette exquise sympathie que ces deux âmes, toujours contraintes, surent déployer en se trouvant libres un moment dans la région des souffrances,[3] leur sphère naturelle. Il ne vit pas sans un attendrissement profond l'intérêt généreux que lui portaient sa tante et sa cousine, car il connaissait assez la société de Paris pour savoir que, dans sa position, il n'y eût trouvé que des cœurs indifférents ou froids. Eugénie lui apparut dans toute la splendeur de sa beauté speciale, il admira dès lors l'innocence de ces mœurs dont il se moquait la veille. Aussi, quand Eugénie prit des mains de Nanon le bol de faïence plein de café à la crème pour le servir à son cousin avec toute l'ingénuité du sentiment,[4] en lui jetant un bon regard, les yeux du Parisien se mouillèrent-ils de larmes, il lui prit la main et la baisa.

— Eh bien, qu'avez-vous encore? demanda-t-elle.

— Oh! ce sont des larmes de reconnaissance, répondit-il.

Eugénie se tourna brusquement vers la cheminée pour prendre les flambeaux.

— Nanon, tenez, emportez, dit-elle.

Quand elle regarda son cousin, elle était bien rouge

encore, mais au moins ses regards purent mentir et ne pas peindre la joie excessive qui lui inondait le cœur; mais leurs yeux exprimèrent un même sentiment, comme leurs âmes se fondirent dans une même pensée: l'avenir était à eux. Cette douce émotion fut d'autant plus délicieuse pour Charles, au milieu de son immense chagrin, qu'elle était moins attendue.

Un coup de marteau rappela les deux femmes à leurs places. Par bonheur, elles purent redescendre assez rapidement l'escalier pour se trouver à l'ouvrage quand Grandet entra.

Après le déjeuner, que le bonhomme fit sur le pouce,[1] le garde arriva de Froidfond, d'où il apportait un lièvre, des perdreaux tués dans le parc, des anguilles et deux brochets dus par les meuniers.

— Eh! eh! ce pauvre Cornoiller, il vient comme marée en carême.[2] — Est-ce bon à manger, ça?

— Oui, mon cher généreux monsieur, c'est tué depuis deux jours.

— Allons, Nanon, haut le pied![3] dit le bonhomme. Prends-moi cela, ce sera pour le dîner; je régale deux Cruchot.

Nanon ouvrit des yeux bêtes et regarda tout le monde.

— Eh bien, dit-elle, où que[4] je trouverai du lard et des épices?

— Ma femme, dit Grandet, donne six francs à Nanon, et fais-moi souvenir d'aller à la cave chercher du bon vin.

— Madame, dit Nanon, qui avait mis sa coiffe noire et pris son panier, je n'ai besoin que de trois francs, gardez le reste. Allez, ça ira tout de même.[5]

— Fais un bon dîner, Nanon, mon cousin descendra, dit Eugénie.

— Décidément, il se passe ici quelque chose d'extraordinaire, dit Mme Grandet. Voici la troisième fois que, depuis notre mariage, ton père donne à dîner.[1]

Vers quatre heures, au moment où Eugénie et sa mère avaient fini de mettre un couvert[2] pour six personnes, et où le maître du logis avait monté quelques bouteilles de ces vins exquis que conservent les provinciaux avec amour, Charles vint dans la salle. Il était pâle. Ses gestes, sa contenance, ses regards et le son de sa voix eurent une tristesse pleine de grace. Il ne jouait pas la douleur, il souffrait véritablement, et le voile étendu sur ses traits par la peine lui donnait cet air intéressant qui plaît tant aux femmes. Eugénie l'en aima bien davantage. Peut-être aussi le malheur l'avait-il rapproché d'elle. Charles n'était plus ce riche et beau jeune homme placé dans une sphère inabordable pour elle, mais un parent plongé dans une effroyable misère. La misère amène l'égalité. La femme a cela de commun avec l'ange, que les êtres souffrants lui appartiennent. Charles et Eugénie s'entendirent et se parlèrent des yeux seulement; car le pauvre dandy déchu,[3] l'orphelin, se mit dans un coin, s'y tint muet, calme et fier; mais, de moment en moment, le regard doux et caressant de sa cousine venait luire sur lui, le contraignant à quitter ses tristes pensées, à s'élancer avec elle dans les champs de l'espérance et de l'avenir, où elle aimait à s'engager[4] avec lui.

En ce moment, la ville de Saumur était plus émue du dîner offert par Grandet aux Cruchot qu'elle ne l'avait été la veille par la vente de sa récolte, qui constituait un crime de haute trahison envers le vignoble.[5] Si le politique vigneron eût donné son dîner dans la même pensée qui coûta la queue au chien d'Alcibiade,[6] il aurait été peut-être un grand homme; mais, trop supérieur à une ville de laquelle il se jouait sans cesse, il ne faisait aucun cas de Saumur. Les des Grassins apprirent bientôt la mort violente et la faillite probable du père de Charles: ils résolurent d'aller, dès le soir même, chez leur client, afin de prendre part à son malheur et lui donner des signes d'amitié, tout en s'informant des motifs qui pouvaient l'avoir déterminé à inviter, en semblable occurrence, les Cruchot à dîner.

A cinq heures précises, le président C. de Bonfons et son oncle le notaire arrivèrent endimanchés jusqu'aux dents.[1] Les convives se mirent à table et commencèrent par manger notablement bien. Grandet était grave, Charles silencieux, Eugénie muette, Mme Grandet ne parla pas plus que de coutume, en sorte que ce dîner fut un véritable repas de condoléances.

Quand on se leva de table, Charles dit à sa tante et à son oncle:

— Permettez-moi de me retirer. Je suis obligé de m'occuper d'une longue et triste correspondance.

— Faites,[2] mon neveu.

Lorsque, après son départ, le bonhomme put présumer que Charles ne pouvait rien entendre, et devait être plongé dans ses écritures, il regarda sournoisement sa femme.

— Madame Grandet, ce que nous avons à dire serait du latin[3] pour vous; il est sept heures et demie, vous devriez aller vous serrer dans votre portefeuille.[4] — Bonne nuit, ma fille.

Il embrassa Eugénie, et les deux femmes sortirent. Là commença la scène où le père Grandet, plus qu'en aucun autre moment de sa vie, employa l'adresse qu'il avait acquise dans le commerce des hommes, et qui lui valait souvent, de la part de ceux dont il mordait un peu trop rudement la peau, le surnom de *vieux chien*.

— Mon... on... on... on... sieur le pré... pré... pré... président, vouoouous di... di... di... disiieeez que la faaaaiiillite...

Le bredouillement affecté depuis si longtemps par le bonhomme, et qui passait pour naturel, aussi bien que la surdité dont il se plaignait par les temps de pluie, devint, en cette conjoncture, si fatigant pour les deux Cruchot, qu'en écoutant le vigneron ils grimaçaient à leur insu, en faisant des efforts comme s'ils voulaient achever les mots dans lesquels il s'empêtrait à plaisir.

Ici peut-être devient-il nécessaire de donner l'histoire du bégayement et de la surdité de Grandet. Personne, dans l'Anjou, n'entendait mieux et ne pouvait prononcer plus nettement le français angevin que le rusé vigneron. Jadis, malgré toute sa finesse, il avait été dupé par un israélite, qui, dans la discussion, appliquait sa main à son oreille en guise de cornet,[1] sous prétexte de mieux entendre, et baragouinait si bien en cherchant ses mots, que Grandet, victime de son humanité, se crut obligé de suggérer à ce malin juif les mots et les idées que paraissait chercher le juif, d'achever lui-même les raisonnements dudit juif, de parler comme devait parler le damné[2] juif, d'être enfin le juif et non Grandet. Combat bizarre d'où le tonnelier sortit ayant conclu le seul marché dont il ait eu à se plaindre pendant le cours de sa vie commerciale. Mais, s'il y perdit, pécuniairement parlant, il y gagna moralement une bonne leçon, dont, plus tard, il recueillit les fruits. Aussi le bonhomme finit-il par bénir le juif qui lui avait appris l'art d'impatienter son adversaire commercial, et, en l'occupant à exprimer sa pensée, de lui faire constamment perdre de vue la sienne.

— Mon... sieur de Bon... Bon... Bonfons...

Pour la seconde fois, depuis trois ans, Grandet nommait Cruchot neveu:[1] M. de Bonfons.

Le président put se croire choisi pour gendre par l'artificieux bonhomme.

— Vooooouous di... di... di... disiez donc que les faiiiillites peu... peu... peu... peuvent, dan... dans ce... ertains cas, être empê... pê... pê... chées pa... par...

— Par les tribunaux de commerce eux-mêmes. Cela se voit tous les jours, dit M. C. de Bonfons enfourchant[2] l'idée du père Grandet ou croyant la deviner et voulant affectueusement la lui expliquer. Écoutez!

— J'écou... coute, répondit humblement le bonhomme en prenant la malicieuse contenance d'un enfant qui rit intérieurement de son professeur, tout en paraissant lui prêter la plus grande attention.

— Quand un homme considérable[3] et considéré, comme l'était, par exemple, défunt monsieur votre frère à Paris...

— Mon... on frère, oui.

— Est menacé d'une déconfiture...

— Ça... aaa s'a... appelle dé... dé... déconfiture?

— Oui... que[4] sa faillite devient imminente, le tribunal de commerce, dont il est justiciable[5] (suivez bien), a la faculté, par un jugement, de nommer, à sa maison de commerce, des liquidateurs. Liquider n'est pas faire faillite, comprenez-vous? En faisant faillite, un homme est déshonoré; mais, en liquidant, il reste honnête homme.

— C'est bien di... di... di... différent, si ça... a... a... ne coû... oû... oû... oûte pas... pas... pas plus cher, dit Grandet.

— Mais une liquidation peut encore se faire, même

sans le secours du tribunal de commerce. Car, dit le président en humant sa prise de tabac, comment se déclare une faillite?

— Oui, je n'y ai jamais pen... pen... pen... pensé, reprit Grandet.

— Premièrement, reprit le magistrat, par le dépôt du bilan au greffe du tribunal,[1] que fait le négociant lui-même ou son fondé de pouvoir,[2] dûment enregistré. Deuxièmement, à la requête des créanciers. Or, si le négociant ne dépose pas de bilan, si aucun créancier ne requiert du tribunal un jugement qui déclare le susdit négociant en faillite, qu'arrive-t-il?

— Oui... i... i..., voy... voy... ons.

— Alors, la famille du décédé, ses représentants, son hoirie,[3] ou le négociant, s'il n'est pas mort, ou ses amis, s'il est caché, liquident. Peut-être voulez-vous liquider les affaires de votre frère? demanda le président.

— Ah! Grandet! s'écria le notaire, ce serait bien. Il y a de l'honneur au fond de nos provinces. Si vous sauviez votre nom, car c'est votre nom, vous seriez un homme...

— Sublime! dit le président en interrompant son oncle.

— Ce... certainement, répliqua le vieux vigneron; mon... mon fffr... fr... frère se no... no... no... nommait Grandet tou... out comme moi. Cé... cé... c'est... c'est sûr et certain. Je... je... ne... ne dis pas... pas non. Et... et... et... cette li... li... li... liquidation pou... pou... pourrait dans tooous llles cas, être, sooous tous llles ra... ra... rapports, très avan... vanta... geuse aux in... in... in... térêts de mon ne... ne... neveu, que j'ai... j'ai... j'aime. Mais faut voir. Je ne co... co... connais pas llles malins de Paris. Je... suis à Sau... au... aumur, moi, voyez-vous! Mes prooovins,[1] mes fooossés, et en... enfin j'ai mes aaaffaires. Je n'ai jamais fait de bi... bi... billets. Qu'est-ce qu'un billet? J'en... j'en... j'en ai beau... beaucoup reçu, je n'en ai jamais si... si... signé. Ça... aaa se ssse touche, ça s'essscooompte.[2] Voilà tooout ce qu... qu... que je sais. J'ai en... en... en... entendu di... di... dire qu'on... ooon pou... ou... ouvait rache... che... cheter les bi... bi... bi...

— Oui, dit le président. On peut acquérir les billets sur la place,[3] moyennant tant pour cent. Comprenez-vous?

Ici Grandet se fit un cornet de sa main, l'appliqua sur son oreille, et le président lui répéta sa phrase.

By his assumed stuttering, deafness and stupidity, Grandet leads Cruchot to explain how, with comparatively little expense, he can prevent his brother's being declared a bankrupt. This conversation is interrupted by the arrival of the des Grassins. It happens that the elder des Grassins is planning a trip to Paris; so hearing of Grandet's desire to save the family's good name, he offers to act as his agent and makes arrangements to return to the cooper on the following day for final instructions. Thereupon the Cruchots and the des Grassins take their leave. Grandet, however, instead of going to bed, calls Nanon and with her help secretly loads his heavy money-bags into a cart and carries them to Angers where, thanks to a money stringency he gets a very high price for his gold.

Pendant la nuit Eugénie entendit en son cœur, avant de l'écouter par l'oreille, une plainte qui perça les cloisons, et qui venait de la chambre de son cousin. Une bande lumineuse,[4] fine autant que le tranchant d'un sabre, passait par la fente de la porte et coupait horizontalement les balustres du vieil escalier.

— Il souffre, dit-elle en grimpant deux marches.

Un second gémissement la fit arriver sur le palier de la chambre. La porte était entr'ouverte, elle la poussa. Charles dormait, la tête penchée en dehors du vieux fauteuil; sa main avait laissé tomber la plume et touchait presque à terre. La respiration saccadée que nécessitait la posture du jeune homme effraya soudain Eugénie, qui entra promptement.

— Il doit être bien fatigué, se dit-elle en regardant une dizaine de lettres cachetées. Elle en lut les adresses: *A Messieurs Farry, Breilman et* Cie, *carrossiers. — A Monsieur Buisson, tailleur*, etc.

— Il a sans doute arrangé toutes ses affaires pour pouvoir bientôt quitter la France, pensa-t-elle.

Puis ses yeux tombèrent sur deux lettres ouvertes. Ces mots qui en commençaient une: *Ma chère Annette*, lui causèrent un éblouissement. Son cœur palpita, ses pieds se clouèrent sur le carreau.

— Sa chère Annette! Il aime, il est aimé! Plus d'espoir![1] Que lui dit-il?

Ces idées lui traversèrent la tête et le cœur. Elle lisait ces mots partout, même sur les carreaux, en traits de flammes.

— Déjà renoncer à lui! Non, je ne lirai pas cette lettre. Je dois m'en aller... Si[2] je la lisais, cependant?

Elle regarda Charles, lui prit doucement la tête, la posa sur le dos du fauteuil, et il se laissa faire comme un enfant qui, même en dormant, connaît encore sa mère et reçoit, sans s'éveiller, ses soins et ses baisers. Comme une mère, Eugénie releva la main pendante, et, comme une mère, elle baisa doucement les cheveux. *Chère Annette!* Un démon lui criait ces deux mots aux oreilles.

— Je sais que je fais peut-être mal,[1] mais je la lirai, la lettre, dit-elle.

Sa noble probité gronda. Eugénie détourna la tête. Pour la première fois de sa vie, le bien et le mal étaient en présence[2] dans son cœur. Jusque-là, elle n'avait eu à rougir d'aucune action. La passion, la curiosité l'emportèrent.[3] A chaque phrase, son cœur se gonfla davantage, et l'ardeur piquante[4] qui anima sa vie pendant cette lecture lui rendit encore plus friands les plaisirs du premier amour.

«Ma chère Annette, rien ne devait nous séparer, si ce n'est le malheur qui m'accable et qu'aucune prudence humaine n'aurait su prévoir. Mon père s'est tué, sa fortune et la mienne sont entièrement perdues. Je suis orphelin, à un âge où, par la nature de mon éducation, je puis passer pour un enfant; et je dois néanmoins me relever homme de l'abîme où je suis tombé. Je viens d'employer une partie de cette nuit à faire mes calculs. Si je veux quitter la France en honnête homme, et ce n'est pas un doute, je n'ai pas cent francs à moi[5] pour aller tenter le sort aux Indes ou en Amérique. Oui, ma pauvre Anna, j'irai chercher la fortune sous les climats les plus meurtriers. Sous de tels cieux, elle est sûre et prompte, m'a-t-on dit. Quant à rester à Paris, je ne saurais. Ni mon âme ni mon visage ne sont faits à supporter les affronts, la froideur, le dédain qui attendent l'homme ruiné, le fils du failli.[6] Bon Dieu![7] devoir deux millions!... J'y serais tué en duel dans la première semaine. Aussi n'y retournerai-je point.[8] Ton amour, le plus tendre et le plus dévoué qui jamais ait ennobli le cœur d'un homme, ne saurait m'y attirer. Hélas! ma bien-aimée, je n'ai point assez d'argent pour aller où tu es, donner, recevoir un dernier baiser, un baiser où je puiserais la force nécessaire à mon entreprise...»

— Pauvre Charles, j'ai bien fait de lire! J'ai de l'or, je le lui donnerai, dit Eugénie.

Elle reprit sa lecture, après avoir essuyé ses pleurs:

«Je n'ai connu que les fleurs de la vie: ce bonheur ne pouvait pas durer. J'ai néanmoins, ma chère Annette, plus de courage qu'il n'était permis à un insouciant jeune homme d'en avoir, surtout à un jeune homme, bercé dans les joies de la famille, à qui tout souriait au logis, et dont les désirs étaient des lois pour un père... Oh! mon père, Annette, il est mort!... Eh bien, j'ai réfléchi à ma position, j'ai réfléchi à la tienne aussi. J'ai bien vieilli en vingt-quatre heures. Chère Anna, si, pour me garder près de toi, dans Paris, tu sacrifiais toutes les jouissances de ton luxe, ta toilette, ta loge à l'Opéra, nous n'arriverions pas encore au chiffre des dépenses nécessaires à ma vie dissipée; puis je ne saurais accepter tant de sacrifices. Nous nous quittons donc aujourd'hui pour toujours.»

— Il la quitte, sainte Vierge! O bonheur!

Eugénie sauta de joie. Charles fit un mouvement, elle en eut froid de terreur; mais, heureusement pour elle, il ne s'éveilla pas. Elle reprit:

«Quand reviendrai-je? Je ne sais. Le climat des Indes vieillit promptement un Européen, et surtout un Européen qui travaille. Garde au fond de ton âme, comme je le garderai moi-même, le souvenir de nos quatre années de bonheur, et sois fidèle, si tu peux, à ton pauvre ami. Je ne saurais toutefois l'exiger, parce que, vois-tu, ma chère Annette, je dois me conformer à ma position, voir bourgeoisement la vie, et la chiffrer au plus vrai.[1] Donc, je dois penser au mariage, qui devient une des nécessités de ma nouvelle existence; et je t'avouerai que j'ai trouvé ici, à Saumur, chez mon oncle, une cousine dont les manières, la figure, l'esprit et le cœur te plairaient, et qui, en outre, me paraît avoir...»

La lettre en était restée là.[2]

— Il devait être bien fatigué pour avoir cessé de lui écrire, se dit Eugénie.

Elle le justifiait! N'était-il pas impossible alors que cette innocente fille s'aperçut de la froideur empreinte dans cette lettre? Eugénie eût-elle été prudente et observatrice autant que le sont certaines filles en province, aurait-elle pu se défier de son cousin, quand, chez lui, les manières, les paroles et les actions s'accordaient encore avec les aspirations du cœur? Un hasard, fatal pour elle, lui fit essuyer les dernières effusions de sensibilité vraie qui fussent en ce jeune cœur, et entendre, pour ainsi dire, les derniers soupirs[3] de la conscience.

Elle laissa donc cette lettre pour elle pleine d'amour et se mit complaisamment à contempler son cousin endormi: les fraîches illusions de la vie jouaient encore pour elle sur ce visage; elle se jura d'abord à elle-même de l'aimer toujours.

Puis elle jeta les yeux sur l'autre lettre sans attacher beaucoup d'importance à cette indiscrétion; et, si elle commença de la lire, ce fut pour acquérir de nouvelles preuves des nobles qualités que, semblable à toutes les femmes, elle prêtait à celui qu'elle choisissait:

«Mon cher Alphonse, au moment où tu liras cette lettre je n'aurai plus d'amis; mais je t'avoue qu'en doutant de ces gens du monde habitués à prodiguer ce mot, je n'ai pas douté de ton amitié. Je te charge donc d'arranger mes affaires, et compte sur toi pour tirer un bon parti de[1] tout ce que je possède. Tu dois maintenant connaître ma position. Je n'ai plus rien, et veux partir pour les Indes. Je viens d'écrire à toutes les personnes auxquelles je crois devoir quelque argent, et tu en trouveras ci-jointe[2] la liste, aussi exacte qu'il m'est possible de la donner de mémoire. Ma bibliothèque, mes meubles, mes voitures, mes chevaux, etc., suffiront, je crois, à payer mes dettes. Je ne veux me réserver que les babioles sans valeur qui seront susceptibles de me faire un commencement de pacotille.[3] Mon cher Alphonse, je t'enverrai d'ici, pour cette vente, une procuration régulière,[4] en cas de contestations. Tu m'adresseras toutes mes armes. Puis tu garderas pour toi Briton. Personne ne voudrait donner le prix de cette admirable bête,[5] j'aime mieux te l'offrir, comme la bague d'usage que lègue un mourant à son exécuteur testamentaire.[6] On m'a fait une très confortable voiture de voyage chez les Farry, Breilman et Cie, mais ils ne l'ont pas livrée: obtiens d'eux qu'ils la gardent sans me demander d'indemnité: s'ils se refusaient à cet arrangement, évite tout ce qui pourrait entacher ma loyauté, dans les circonstances où je me trouve. Je dois six louis à l'insulaire,[7] perdus au jeu, ne manque pas de les lui...»

Elle n'acheva pas.

— Cher cousin! dit Eugénie en laissant la lettre et se sauvant à petits pas chez elle avec une des bougies allumées.

Là, ce ne fut pas sans une vive émotion de plaisir qu'elle ouvrit le tiroir d'un vieux meuble en chêne, l'un des plus beaux ouvrages de l'époque nommée la Renaissance, et sur lequel se voyait encore, à demi effacée, la fameuse salamandre royale.[1] Elle y prit une grosse bourse en velours rouge à glands d'or, et bordée de cannetille usée,[2] provenant de la succession de sa grand'-mère. Puis elle soupesa fort orgueilleusement cette bourse et se plut à vérifier le compte oublié[3] de son petit pécule.

Ce trésor contenait des pièces neuves et vierges, de véritables morceaux d'art desquels le père Grandet s'informait[4] parfois et qu'il voulait revoir, afin de détailler à sa fille les vertus intrinsèques, comme la beauté du cordon, la clarté du plat, la richesse des lettres dont les vives arêtes n'étaient pas encore rayées.[5] Mais elle ne pensait ni à ces raretés, ni à la manie de son père, ni au danger qu'il y avait pour elle de se démunir d'un trésor si cher à son père; non, elle songeait à son cousin, et parvint enfin à comprendre, après quelques fautes de calcul, qu'elle possédait environ cinq mille huit cents francs en valeurs réelles,[6] qui, conventionnellement, pouvaient se vendre près de deux mille écus.[7] A la vue de ces richesses, elle se mit à applaudir en battant des mains, comme un enfant forcé de perdre son trop-plein de joie[8] dans les naïfs mouvements du corps. Elle remit les pièces dans la vieille bourse, la prit et remonta sans hésitation. La misère secrète de son cousin lui faisait oublier la nuit, les convenances; puis elle était forte de[9] sa conscience, de son dévouement, de son bonheur.

Au moment où elle se montra sur le seuil de la porte, en tenant d'une main la bougie, de l'autre sa bourse, Charles se réveilla, vit sa cousine et resta béant de surprise. Eugénie s'avança, posa le flambeau sur la table et dit d'une voix émue:

— Mon cousin, j'ai à vous demander pardon d'une faute grave que j'ai commise envers vous; mais Dieu me le pardonnera, ce péché, si vous voulez l'effacer.

— Qu'est-ce donc? dit Charles en se frottant les yeux.

— J'ai lu ces deux lettres.

Charles rougit.

— Comment cela s'est-il fait? reprit-elle; pourquoi suis-je montée? En vérité, maintenant je ne le sais plus. Mais je suis tentée de ne pas trop me repentir d'avoir lu ces lettres, puisqu'elles m'ont fait connaître votre cœur, votre âme et...

— Et quoi? demanda Charles.

— Et vos projets, la nécessité où vous êtes d'avoir une somme...

— Ma chère cousine...

— Chut, chut, mon cousin! pas si haut, n'éveillons personne. Voici, dit-elle en ouvrant sa bourse, les économies[1] d'une pauvre fille qui n'a besoin de rien. Charles, acceptez-les. Ce matin, j'ignorais ce qu'était l'argent, vous me l'avez appris, ce n'est qu'un moyen, voilà tout. Un cousin est presque un frère, vous pouvez bien emprunter la bourse de votre sœur.

Il restait muet. Eugénie, autant femme que jeune fille, n'avait pas prévu des refus.

— Eh bien? dit-elle.

Il baissa la tête.

— Vous refuseriez? demanda Eugénie, dont les palpitations retentirent au milieu du profond silence.

L'hésitation de son cousin l'humilia; mais la nécessité dans laquelle il se trouvait se représenta plus vivement à son esprit, et elle plia le genou.

— Je ne me relèverai pas que[2] vous n'ayez pris cet or!

dit-elle. Mon cousin, de grâce, une réponse!... que je sache si vous m'honorez, si vous êtes généreux, si...

En entendant le cri d'un noble désespoir, Charles laissa tomber des larmes sur les mains de sa cousine, qu'il saisit afin de l'empêcher de s'agenouiller. En recevant ces larmes chaudes, Eugénie sauta sur la bourse, la lui versa sur la table.

— Eh bien, oui, n'est-ce pas? dit-elle en pleurant de joie. Ne craignez rien, mon cousin, vous serez riche. Cet or vous portera bonheur;[1] un jour, vous me le rendrez; d'ailleurs, nous nous associerons; enfin je passerai par toutes les conditions que vous m'imposerez. Mais vous ne devriez pas donner tant de prix à ce don.

Charles put enfin exprimer ses sentiments.

— Oui, Eugénie, j'aurais l'âme bien petite, si je n'acceptais pas. Cependant, rien pour rien, confiance pour confiance.

— Que voulez-vous? dit-elle effrayée.

— Écoutez, ma chère cousine, j'ai là...

Il s'interrompit pour montrer sur la commode une caisse carrée enveloppée d'un surtout de cuir.

— J'ai là, voyez-vous, une chose qui m'est aussi précieuse que la vie. Cette boîte est un présent de ma mère. Depuis ce matin, je pensais que, si elle pouvait sortir de sa tombe, elle vendrait elle-même l'or que sa tendresse lui a fait prodiguer dans ce nécessaire; mais, accomplie par moi, cette action me paraîtrait un sacrilège.

Eugénie serra convulsivement la main de son cousin en entendant ces derniers mots.

— Non, reprit-il après une légère pause, pendant laquelle tous deux ils se jetèrent un regard humide, non, je ne veux ni le détruire, ni le risquer dans mes voyages.

Chère Eugénie, vous en serez dépositaire. Jamais ami n'aura confié quelque chose de plus sacré à son ami. Soyez-en juge.

Il alla prendre la boîte, la sortit du fourreau, l'ouvrit et montra tristement à sa cousine émerveillée un nécessaire où le travail donnait à l'or un prix bien supérieur à celui de son poids.

— Ce que vous admirez n'est rien, dit-il en poussant un ressort qui fit partir un double fond.[1] Voilà ce qui, pour moi, vaut la terre entière.

Il tira deux portraits, deux chefs-d'œuvre de Mme de Mirbel,[2] richement entourés de perles.

— Oh! la belle personne! n'est-ce pas cette dame à qui vous écriv...?

— Non, dit-il en souriant. Cette femme est ma mère, et voici mon père, qui sont votre tante et votre oncle. Eugénie, je devrais vous supplier à genoux de me garder ce trésor. Si je périssais en perdant votre petite fortune, cet or vous dédommagerait; et, à vous seule, je puis laisser les deux portraits; vous êtes digne de les conserver; mais détruisez-les, afin qu'après vous ils n'aillent pas en d'autres mains...

Eugénie se taisait.

— Eh bien, oui, n'est-ce pas? ajouta-t-il avec grâce.[3] En entendant les mots que venait de dire son cousin, elle lui jeta son premier regard de femme aimante, un de ces regards où il y a presque autant de coquetterie que de profondeur; il lui prit la main et la baisa.

— Ange de pureté! entre nous, n'est-ce pas, l'argent ne sera jamais rien? Le sentiment, qui en fait quelque chose, sera tout désormais.

— Vous ressemblez à votre mère. Avait-elle la voix aussi douce que la vôtre?

— Oh! bien plus douce...

— Oui, pour vous, dit-elle en abaissant ses paupières. Allons, Charles, couchez-vous, je le veux, vous êtes fatigué. A demain.

Elle dégagea doucement sa main d'entre celles de son cousin, qui la reconduisit en l'éclairant.[1] Quand ils furent tous deux sur le seuil de la porte:

— Ah! pourquoi suis-je ruiné? dit-il.

— Bah! mon père est riche, je le crois, répondit-elle.

— Pauvre enfant! reprit Charles en avançant un pied dans la chambre et s'appuyant le dos au mur, il n'aurait pas laissé mourir le mien, il ne vous laisserait pas dans ce dénûment, et vivrait autrement.

— Mais il a Froidfond.

— Et que vaut Froidfond?

— Je ne sais pas; mais il a Noyers.

— Quelque mauvaise ferme!

— Il a des vignes et des prés...

— Des misères,[2] dit Charles d'un air dédaigneux. Si votre père avait seulement vingt-quatre mille livres de rente, habiteriez-vous cette chambre froide et nue? ajouta-t-il en avançant le pied gauche. — Là seront donc mes trésors, dit-il en montrant le vieux bahut pour voiler sa pensée.

— Allez dormir, dit-elle en l'empêchant d'entrer dans une chambre en désordre.

Charles se retira, et ils se dirent bonsoir par un mutuel sourire.

Tous deux ils s'endormirent dans le même rêve, et

Charles commença dès lors à jeter quelques roses sur son deuil.

Le lendemain matin, Mme Grandet trouva sa fille se promenant, avant le déjeuner, en compagnie de Charles. Le jeune homme était encore triste comme devait l'être un malheureux descendu, pour ainsi dire, au fond de ses chagrins et qui, en mesurant la profondeur de l'abîme où il était tombé, avait senti tout le poids de sa vie future.

Le déjeuner fini Charles resta dans la salle, et sa mélancholie y fut respectée. Chacune des trois femmes eut à s'occuper. Grandet n'était pas encore rentré. Ce fut donc Mme Grandet et Eugénie qui s'occupèrent de ses affaires. Elles furent obligées d'aller et de venir, de répondre aux interminables discours des ouvriers et des gens de la campagne. Nanon encaissait les redevances dans sa cuisine. Elle attendait toujours les ordres de son maître pour savoir ce qui devait être gardé pour la maison ou vendu au marché. L'habitude du bonhomme était, comme celle d'un grand nombre de gentilshommes campagnards, de boire son mauvais vin et de manger ses fruits gâtés. Vers cinq heures du soir, Grandet rentra.

— Je reviens d'Angers, ma femme, dit-il. J'ai faim.

Nanon lui cria de la cuisine:

— Est-ce que vous n'avez rien mangé depuis hier?

— Rien répondit le bonhomme.

Nanon apporta la soupe. Des Grassins vint prendre les ordres de son client au moment où la famille était à table. Le père Grandet n'avait seulement[1] pas vu son neveu.

— Mangez tranquillement, Grandet, dit le banquier. Nous causerons. Savez-vous ce que vaut l'or à Angers, où l'on en est venu chercher pour Nantes? Je vais en envoyer.

— N'en envoyez pas, répondit le bonhomme, il y en a déjà suffisamment. Nous sommes trop bons amis pour que je ne vous épargne pas une perte.

— Mais l'or vaut treize francs cinquante centimes.

— Dites donc valait.

— D'où diable en serait-il venu?

— Je suis allé cette nuit à Angers, lui répondit Grandet à voix basse.

Le banquier tressaillit de surprise.

Puis une conversation s'établit entre eux d'oreille à oreille, pendant laquelle des Grassins et Grandet regardèrent Charles à plusieurs reprises. Puis au moment où sans doute l'ancien tonnelier dit au banquier de lui acheter à Paris cent mille livres de rente,[1] des Grassins laissa derechef échapper un geste d'étonnement.

— M. Grandet, dit-il à Charles, je pars pour Paris; et si vous aviez des commissions à me donner...

— Aucune, monsieur. Je vous remercie, répondit Charles.

— Remerciez-le mieux que ça, mon neveu. Monsieur va vous arranger les affaires de la maison Guillaume Grandet.

— Y aurait-il donc quelque espoir? demanda Charles.

— Mais, s'écria le tonnelier avec un orgueil bien joué, n'êtes-vous pas mon neveu? Votre honneur est le nôtre. Ne vous nommez-vous pas Grandet?

Charles se leva, saisit le père Grandet, l'embrassa, pâlit et sortit. Eugénie contemplait son père avec admiration.

— Allons, adieu, mon bon des Grassins, tout à vous,[2] et emboisez-moi bien ces gens-là![3]

Les deux diplomates se donnèrent une poignée de main;

le tonnelier reconduisit le banquier jusqu'à la porte; puis, après l'avoir fermée, il revint, et dit à Nanon en se plongeant dans son fauteuil:

— Donne-moi du cassis!

Quand il eut avalé son cassis, il regarda le verre:

— On n'a pas plutôt mis les lèvres à un verre qu'il est déjà vide! Voilà notre histoire. On ne peut pas être et avoir été. Les écus ne peuvent pas rouler et rester dans votre bourse, autrement la vie serait trop belle.

Il fut jovial et clément. Lorsque Nanon vint avec son rouet:

— Tu dois être lasse, lui dit-il. Laisse ton chanvre.

— Ah ben!... quien, je m'ennuierais![1] répondit la servante.

— Pauvre Nanon! Veux-tu du cassis?

— Ah! pour[2] du cassis, je ne dis pas non. Madame le fait ben mieux que les apothicaires. Celui qu'ils vendent est de la drogue.

— Ils y mettent trop de sucre, ça ne sent plus rien,[3] dit le bonhomme.

Le lendemain, la famille, réunie à huit heures pour le déjeuner, offrit le tableau de la première scène d'une intimité bien réelle. Le malheur avait promptement mis en rapport Mme Grandet, Eugénie et Charles; Nanon elle-même sympathisait avec eux sans le savoir. Tous quatre commencèrent à faire une même famille. Quant au vieux vigneron, son avarice satisfaite et la certitude de voir bientôt partir le mirliflore sans avoir à lui payer autre chose que son voyage à Nantes le rendirent presque indifférent à sa présence au logis. Il laissa les deux enfants, ainsi qu'il nomma Charles et Eugénie, libres de se comporter comme bon leur semblerait[4] sous l'œil de Mme

Grandet, en laquelle il avait d'ailleurs une entière confiance en ce qui concernait la morale publique et religieuse. L'alignement de ses prés et des fossés jouxtant[1] la route, ses plantations de peupliers en Loire[2] et les travaux d'hiver dans ses clos et à Froidfond l'occupèrent exclusivement. Dès lors commença pour Eugénie le primevère de l'amour. Depuis la scène de nuit pendant laquelle la cousine donna son trésor au cousin, son cœur avait suivi le trésor. Complices tous deux du même secret, ils se regardaient en s'exprimant une mutuelle intelligence,[3] qui approfondissait leurs sentiments et les leur rendait mieux communs, plus intimes, en les mettant, pour ainsi dire, tous deux en dehors de la vie ordinaire. La parenté n'autorisait-elle pas une certaine douceur dans l'accent, une tendresse dans les regards? Aussi Eugénie se plut-elle à endormir les souffrances de son cousin dans les joies enfantines d'un naissant amour.

En se débattant à sa naissance sous les crêpes du deuil, cet amour n'en était d'ailleurs que mieux en harmonie avec la simplicité provinciale de cette maison en ruine. En échangeant quelques mots avec sa cousine au bord du puits, dans cette cour muette; en restant dans ce jardinet, assis sur un banc moussu jusqu'à l'heure où le soleil se couchait, occupés à se dire de grands riens,[4] ou recueillis dans le calme qui régnait entre le rempart et la maison, comme on l'est sous les arcades d'une église, Charles comprit la sainteté de l'amour. Il quittait en ce moment la passion parisienne, coquette, vaniteuse, éclatante,[5] pour l'amour pur et vrai. Il aimait cette maison, dont les mœurs ne lui semblèrent plus si ridicules.

Il descendait dès le matin, afin de pouvoir causer avec Eugénie quelques moments avant que Grandet vînt donner les provisions; et, quand les pas du bonhomme retentissaient dans les escaliers, il se sauvait au jardin. La petite criminalité[1] de ce rendez-vous matinal, secret même pour la mère d'Eugénie, et que Nanon faisait semblant de ne pas apercevoir, imprimait à l'amour le plus innocent du monde la vivacité[2] des plaisirs défendus. Puis, quand, après le déjeuner, le père Grandet était parti pour aller voir ses propriétés et ses exploitations, Charles demeurait entre la mère et la fille, éprouvant des délices inconnues à leur prêter les mains pour dévider du fil, à les voir travaillant, à les entendre jaser. La simplicité de cette vie presque monastique, qui lui révéla les beautés de ces âmes auxquelles le monde était inconnu, le toucha vivement.

Les chagrins d'une prochaine absence n'attristaient-ils pas déjà les heures les plus joyeuses de ces fuyardes journées? Puis chaque jour, un petit événement leur rappelait la prochaine séparation. Ainsi, trois jours après le départ de des Grassins, Charles fut emmené par Grandet au tribunal de première instance[3] avec la solennité que les gens de province attachent à de tels actes, pour y signer une renonciation à la succession de son père. Répudiation[4] terrible! espèce d'apostasie domestique.[5] Puis il alla chez maître Cruchot faire faire deux procurations, l'une pour des Grassins, l'autre pour l'ami chargé de vendre son mobilier. Puis il fallut remplir les formalités nécessaires pour obtenir un passeport à l'étranger. Enfin, quand arrivèrent les simples vêtements de deuil que Charles avait demandés à Paris, il fit venir un tailleur de Saumur, et lui vendit sa garde-robe inutile. Cet acte plut singulièrement au père Grandet.

— Ah! vous voilà comme un homme qui doit s'embarquer et qui veut faire fortune,[1] lui dit-il en le voyant vêtu d'une redingote de gros drap noir. Bien, très bien!

— Je vous prie de croire, Monsieur, lui répondit Charles, que je saurai bien avoir l'esprit de ma situation.[2]

— Qu'est-ce que c'est que cela? dit le bonhomme, dont les yeux s'animèrent à la vue d'une poignée d'or que lui montra Charles.

— Monsieur, j'ai réuni mes boutons, mes anneaux, toutes les superfluités que je possède et qui pouvaient avoir quelque valeur; mais, ne connaissant personne à Saumur, je voulais vous prier ce matin de...

— De vous acheter cela? dit Grandet en l'interrompant.

— Non, mon oncle, de m'indiquer un honnête homme qui...

— Donnez-moi cela, mon neveu; j'irai vous estimer cela là-haut, et je reviendrai vous dire ce que cela vaut, à un centime près.[3] Or de bijou, dit-il en examinant une longue chaîne, dix-huit à dix-neuf carats.

Le bonhomme tendit sa large main et emporta la masse d'or.

— Ma cousine, dit Charles, permettez-moi de vous offrir ces deux boutons, qui pourront vous servir à attacher des rubans à vos poignets. Cela fait un bracelet fort à la mode en ce moment.

— J'accepte sans hésiter, mon cousin, dit-elle en lui jetant un regard d'intelligence.

— Ma tante, voici le dé de ma mère, je le gardais précieusement dans ma toilette de voyage, dit Charles en présentant un joli dé d'or à Mme Grandet, qui depuis dix ans en désirait un.

— Il n'y a pas de remercîments possibles, mon neveu, dit la vieille mère, dont les yeux se mouillèrent de larmes.

Soir et matin, dans mes prières, j'ajouterai la plus pressante de toutes pour vous en disant celle des voyageurs. Si je mourais, Eugénie vous conserverait ce bijou.

— Cela vaut neuf cent quatre-vingt-neuf francs soixante-quinze centimes, mon neveu, dit Grandet en ouvrant la porte. Mais, pour vous épargner la peine de vendre cela, je vous en compterai l'argent... en livres.

Le mot *en livres* signifie sur le littoral de la Loire que les écus de six livres doivent être acceptés pour six francs, sans déduction.[1]

— Je vous donnerai quinze cents francs en livres. Cruchot me les prêtera; car je n'ai pas un rouge liard[2] ici, à moins que Perrotet, qui est en retard de son fermage, ne me le paye. Tiens, tiens,[3] je vais l'aller voir.

Il prit son chapeau, mit ses gants et sortit.

Quand les deux amants furent seuls dans le jardin, Charles dit à Eugénie en l'attirant sur le vieux banc, où ils s'assirent sous le noyer.

— J'ai reçu ce matin des lettres. J'avais bien présumé d'Alphonse, il s'est conduit à merveille. Il a fait mes affaires avec prudence et loyauté. Je ne dois rien à Paris, tous mes meubles sont bien vendus, et il m'annonce avoir, d'après les conseils d'un capitaine au long cours,[4] employé trois mille francs qui lui restaient en une pacotille composée de curiosités européennes, desquelles on tire un excellent parti aux Indes. Il a dirigé mes colis sur Nantes, où se trouve un navire en charge pour[5] Java. Dans cinq jours, Eugénie, il faudra nous dire adieu pour toujours peut-être, mais au moins pour longtemps. Ma pacotille et dix mille francs que m'envoient deux de mes amis sont un bien petit commencement. Je ne puis songer à mon retour avant plusieurs années. Ma chère cousine, ne mettez pas en balance ma vie et la vôtre,[1] je puis périr, peut-être se présentera-t-il pour vous un riche établissement[2]...

— Vous m'aimez?... dit-elle.

— Oh! oui, bien!

— J'attendrai, Charles. Dieu! mon père est à sa fenêtre, dit-elle en repoussant son cousin, qui s'approchait pour l'embrasser.

Elle se sauva sous la voûte, Charles l'y suivit; en le voyant, elle se retira au pied de l'escalier et ouvrit la porte battante; puis, sans trop savoir où elle allait, Eugénie, se trouva près du bouge de Nanon, à l'endroit le moins clair du couloir; là, Charles qui l'avait accompagnée, lui prit la main, l'attira sur son cœur, la saisit par la taille et l'appuya doucement sur lui. Eugénie ne résista plus, elle reçut et donna le plus pur, le plus suave, mais aussi le plus entier de tous les baisers.

— Chère Eugénie, un cousin est mieux qu'un frère, il peut t'épouser, lui dit Charles.

— Ainsi soit-il![3] cria Nanon en ouvrant la porte de son taudis.

Les deux amants effrayés se sauvèrent dans la salle, où Eugénie reprit son ouvrage, et où Charles se mit à lire les litanies de la Vierge dans le Paroissien[4] de Mme Grandet.

— Quien![5] dit Nanon, nous faisons tous nos prières.

Dès que Charles eut annoncé son départ, les heures s'enfuyaient pour Eugénie avec une effrayante rapidité. Parfois, elle voulait suivre son cousin. Celui qui a connu la plus attachante des passions, celle dont la durée est chaque jour abrégée par l'âge, par le temps, par une maladie mortelle, par quelques-unes des fatalités humaines, celui-là comprendra les tourments d'Eugénie. Elle pleurait souvent en se promenant dans ce jardin, maintenant trop étroit pour elle, ainsi que la cour, la maison, la ville: elle s'élançait par avance sur la vaste étendue des mers.

Enfin la veille du départ arriva. Le matin, en l'absence de Grandet et de Nanon, le précieux coffret où se trouvaient les deux portraits fut solennellement installé dans le seul tiroir du bahut qui fermait à clef, et où était la bourse maintenant vide. Le dépôt de ce trésor n'alla pas sans bon nombre de baisers et de larmes. Quand Eugénie mit la clef dans son sein, elle n'eut pas le courage de défendre à Charles d'y baiser la place.

— Elle ne sortira pas de là, mon ami.

— Eh bien, mon amour, mon cœur y sera toujours aussi.

— Ah! Charles, ce n'est pas bien,[1] dit-elle d'un accent un peu grondeur.

— Ne sommes-nous pas mariés! répondit-il; j'ai ta parole, prends la mienne.

— A toi pour jamais! fut dit deux fois de part et d'autre.

Aucune promesse faite sur cette terre ne fut plus pure: la candeur d'Eugénie avait momentanément sanctifié l'amour de Charles.

Le lendemain matin, le déjeuner fut triste. Malgré la robe d'or et une croix à la Jeannette[2] que lui donna Charles, Nanon elle-même, libre d'exprimer ses sentiments, eut la larme à l'œil.

— Ce pauvre mignon monsieur, qui s'en va sur mer... Que Dieu le conduise!

A dix heures et demie, la famille se mit en route pour accompagner Charles à la diligence de Nantes. Nanon avait lâché le chien, fermé la porte, et voulut porter le sac de nuit de Charles. Tous les marchands de la vieille rue étaient sur le seuil de leurs boutiques pour voir passer ce cortège, auquel se joignit sur la place maître Cruchot.

— Ne va pas pleurer, Eugénie, lui dit sa mère.

— Mon neveu, dit Grandet sous la porte de l'auberge, en embrassant Charles sur les deux joues, partez pauvre, revenez riche, vous trouverez l'honneur de votre père sauf. Je vous en réponds, moi, Grandet; il ne tiendra qu'à vous de[1]...

— Ah! mon oncle, vous adoucissez l'amertume de mon départ. N'est-ce pas le plus beau présent que vous puissiez me faire?

Ne comprenant pas les paroles du vieux tonnelier, qu'il avait interrompu, Charles répandit sur le visage tanné de son oncle des larmes de reconnaissance, tandis qu'Eugénie serrait de toutes ses forces la main de son cousin et celle de son père. Le notaire seul souriait en admirant la finesse de Grandet, car lui seul avait bien compris le bonhomme. Les quatre Saumurois, environnés de plusieurs personnes, restèrent devant la voiture jusqu'à ce qu'elle partît; puis, quand elle disparut sur le pont et ne retentit plus que dans le lointain:

— Bon voyage![2] dit le vigneron.

Heureusement, maître Cruchot fut le seul qui entendit cette exclamation. Eugénie et sa mère étaient allées à un endroit du quai d'où elles pouvaient encore voir la diligence, et agitaient leurs mouchoirs blancs, signe auquel répondit Charles en déployant le sien.

— Ma mère, je voudrais avoir pour un moment la puissance de Dieu, dit Eugénie au moment où elle ne vit plus le mouchoir de Charles.

Pour ne point interrompre le cours des événements qui se passèrent au sein de la famille Grandet, il est nécessaire de jeter par anticipation un coup d'œil sur les opérations que le bonhomme fit à Paris par l'entremise de des Grassins.

A la Banque de France se trouvent, comme chacun sait, les renseignements les plus exacts sur les grandes fortunes de Paris et des départements. Les noms de des Grassins et de Félix Grandet de Saumur y étaient connus, et y jouissaient de l'estime accordée aux célébrités financières qui s'appuient sur d'immenses propriétés territoriales libres d'hypothèques. L'arrivée du banquier de Saumur, chargé, disait-on, de liquider par honneur la maison Grandet de Paris, suffit donc pour épargner à l'ombre du négociant la honte des protêts.[1] La levée des scellés se fit en présence des créanciers, et le notaire de la famille se mit à procéder régulièrement à l'inventaire de la succession. Bientôt des Grassins réunit les créanciers, qui, d'une voix unanime,[2] élurent pour liquidateur le banquier de Saumur, conjointement avec un des principaux intéressés,[3] et leur confièrent tous les pouvoirs nécessaires pour sauver à la fois l'honneur de la famille et les créances. Le crédit du Grandet de Saumur, l'espérance qu'il répandit au cœur des créanciers par l'organe de des Grassins[4] facilitèrent les transactions, il ne se rencontra pas un seul récalcitrant parmi les créanciers. Personne ne pensait à passer sa créance au compte de profits et pertes,[5] et chacun se disait:

— Grandet de Saumur payera!

Six mois s'écoulèrent. Les Parisiens avaient remboursé les effets en circulation[6] et les conservaient au fond de leurs portefeuilles. Premier résultat que voulait obtenir le tonnelier.

Neuf mois après la première assemblée, les deux liquidateurs distribuèrent quarante-sept pour cent à chaque créancier. Cette somme fut produite par la vente des valeurs, possessions, biens et choses généralement quelconques[1] appartenant à feu Guillaume Grandet, et qui fut faite avec une fidélité scrupuleuse. La plus exacte probité présidait à cette liquidation. Les créanciers se plurent à reconnaître l'admirable et incontestable honneur des Grandet. Puis quand ces louanges eurent circulé convenablement, les créanciers demandèrent le reste de leur argent. Il leur fallut écrire une lettre collective à Grandet.

— Nous y voilà, dit l'ancien tonnelier en jetant la lettre au feu; patience, mes petits amis.

En réponse aux propositions contenues dans cette lettre, Grandet de Saumur demanda le dépôt chez un notaire de tous les titres de créance existants contre la succession de son frère, en les accompagnant d'une quittance des paiements déjà faits, sous prétexte d'apurer les comptes, et de correctement établir l'état de la succession. Ce dépôt souleva mille difficultés. Les uns se fâchèrent et se refusèrent net au dépôt.

— Bon, ça va bien, disait Grandet en se frottant les mains à la lecture des lettres que lui écrivait à ce sujet des Grassins.

Quelques autres ne consentirent audit dépôt que sous la condition de faire bien constater leurs droits, ne renoncer à aucuns, et se réserver même celui de faire déclarer la faillite. Nouvelle correspondance, après laquelle Grandet de Saumur consentit à toutes les réserves demandées. Moyennant cette concession, les créanciers bénins firent entendre raison aux créanciers durs.[2] Le dépôt eut lieu, non sans quelques plaintes.

— Ce bonhomme, dit-on à des Grassins, se moque de vous et de nous.

Vingt-trois mois après la mort de Guillaume Grandet, beaucoup de commerçants, entraînés par le mouvement des affaires de Paris, avaient oublié leurs recouvrements Grandet,[1] ou n'y pensaient que pour se dire:

— Je commence à croire que les quarante-sept pour cent sont tout ce que je tirerai de tout cela.

Le tonnelier avait calculé sur la puissance du temps, qui, disait-il, est un bon diable.[2]

A la fin de la troisième année, des Grassins écrivit à Grandet que, moyennant dix pour cent des deux millions quatre cent mille francs restant dus par la maison Grandet, il avait amené[3] les créanciers à lui rendre leurs titres. Grandet répondit que le notaire et l'agent de change dont les épouvantables faillites avaient causé la mort de son frère vivaient, *eux!* pouvaient être devenus bons,[4] et qu'il fallait les actionner afin d'en tirer quelque chose et diminuer le chiffre du déficit.

A la fin de la quatrième année, le déficit fut bien et dûment arrêté à la somme de douze cent mille francs. Il y eut des pourparlers qui durèrent six mois entre les liquidateurs et les créanciers, entre Grandet et les liquidateurs. Bref, vivement pressé de s'exécuter, Grandet de Saumur répondit aux deux liquidateurs, vers le neuvième mois de cette année, que son neveu, qui avait fait fortune aux Indes, lui avait manifesté l'intention de payer intégralement les dettes de son père; il ne pouvait pas prendre sur lui de les solder frauduleusement sans l'avoir consulté;[5] il attendait une réponse.

Les créanciers, vers le milieu de la cinquième année, étaient encore tenus en échec avec le mot *intégralement*, de temps en temps lâché par le sublime tonnelier, qui riait dans sa barbe, et ne disait jamais, sans laisser échapper un fin sourire et un juron, le mot: CES PARISIENS!...

Mais les créanciers furent réservés à un sort inouï dans

les fastes du commerce. Ils se retrouveront dans la position où les avait maintenus Grandet au moment où les événements de cette histoire les obligeront à y reparaître.

[Des Grassins deserts his wife. The family being dishonored, Adolphe realizes he can not win Eugénie and joins his father in Paris.]

CHAPITRE V

CHAGRINS DE FAMILLE

Le lendemain du départ de Charles, la maison Grandet reprit sa physionomie pour tout le monde, excepté pour Eugénie, qui la trouva tout à coup bien vide. A l'insu de son père, elle voulut que la chambre de Charles restât dans l'état où il l'avait laissée. Mme Grandet et Nanon furent volontiers complices de ce *statu quo*.[1]

— Qui sait s'il ne reviendra pas plus tôt que nous ne le croyons? dit-elle.

En revenant de la messe, où elle alla le lendemain du départ de Charles et où elle avait fait vœu d'aller tous les jours, Eugénie prit, chez le libraire de la ville, une mappe-monde qu'elle cloua près de son miroir, afin de suivre son cousin dans sa route vers les Indes, afin de pouvoir se mettre un peu, soir et matin, sur le vaisseau qui l'y transportait, de le voir, de lui adresser mille questions, de lui dire: — Es-tu bien?[2] Ne souffres-tu pas? Penses-tu à moi, en voyant les nuages dont tu m'as appris à connaître les beautés et l'usage en amour?

Puis, le matin, elle restait pensive sous le noyer, assise sur le banc de bois rongé par les vers et garni de mousse grise où ils s'étaient dit tant de bonnes choses, de niaiseries, où ils avaient bâti les châteaux en Espagne[3] de leur joli ménage. Elle pensait à l'avenir en regardant le ciel par le petit espace que les murs lui permettaient d'embrasser; puis le vieux pan de muraille,[1] et le toit sous lequel était la chambre de Charles. Enfin ce fut l'amour solitaire, l'amour vrai qui persiste, qui se glisse dans toutes les pensées, et qui devient la substance, ou, comme eussent dit nos pères, l'étoffe de la vie.

Deux mois se passèrent ainsi. Soir et matin, Eugénie ouvrait la toilette et contemplait le portrait de sa tante. Un matin, elle fut surprise par sa mère au moment où elle était occupée à chercher les traits de Charles dans ceux du portrait; Mme Grandet fut alors initiée au terrible secret de l'échange fait par le voyageur contre le trésor d'Eugénie.

— Tu lui as tout donné! dit la mère épouvantée. Que diras-tu donc à ton père, au jour de l'an,[2] quand il voudra voir ton or?

Les yeux d'Eugénie devinrent fixes, et ces deux femmes demeurèrent dans un effroi mortel pendant toute la moitié de la matinée. Elles furent assez troublées pour manquer la grand'messe et n'allèrent qu'à la messe militaire.[3]

Le 1er janvier 1820, la terreur flagrante[4] à laquelle la mère et la fille étaient en proie leur suggéra la plus naturelle des excuses pour ne pas venir solennellement dans la chambre de Grandet lui souhaiter la bonne année. L'hiver de 1819 à 1820 fut un des plus rigoureux de l'époque. La neige encombrait les toits.

Mme Grandet dit à son mari, dès qu'elle l'entendit se remuer dans sa chambre:

— Grandet, fais donc allumer par Nanon un peu de feu chez moi; le froid est si vif, que je gèle sous ma couverture. Je suis arrivée à un âge où j'ai besoin de ménagements. — D'ailleurs, reprit-elle après une légère pause, Eugénie viendra s'habiller là. Cette pauvre fille pourrait gagner une maladie à faire sa toilette chez elle par un temps pareil. Puis nous irons te souhaiter le bon an près du feu, dans la salle.

— Ta ta ta ta, quelle langue! Comme tu commences l'année, madame Grandet! Tu n'as jamais tant parlé. Cependant, tu n'as pas mangé de pain trempé dans du vin, je pense!

Il y eut un moment de silence.

— Eh bien, reprit le bonhomme, que sans doute la proposition de sa femme arrangeait,[1] je vais faire ce que vous voulez, madame Grandet. Tu es vraiment une bonne femme, et je ne veux pas qu'il t'arrive malheur à l'échéance de ton âge,[2] quoique, en général, les La Bertellière soient faits de vieux ciment.[3] — Hein! pas vrai? cria-t-il après une pause. Enfin, nous en avons hérité, je leur pardonne.

Et il toussa.

— Vous êtes gai ce matin, monsieur, dit gravement la pauvre femme.

— Toujours gai, moi...

Gai, gai, gai, le tonnelier,
Raccommodez votre cuvier!

ajouta-t-il en entrant chez sa femme tout habillé. — Oui, nom d'un petit bonhomme, il fait solidement froid[4] tout de même. Nous déjeunerons bien, ma femme. Des Grassins m'a envoyé un pâté de foies gras truffés![5] Je vais aller le chercher à la diligence. — Il doit y avoir joint un double napoléon[6] pour Eugénie, vint lui dire le tonnelier à l'oreille. Je n'ai plus d'or, ma femme. J'avais bien encore quelques vieilles pièces, je puis te dire cela, à toi; mais il a fallu les lâcher pour les affaires.

Et, pour célébrer le premier jour de l'an, il l'embrassa sur le front.

— Eugénie, cria la bonne mère, je ne sais sur quel côté ton père a dormi, mais il est bon homme ce matin. Bah! nous nous en tirerons.

Le secret de cette joie était dans une entière réussite d'une spéculation de Grandet. Le bonhomme gagnait, depuis deux mois, 12 p. 100 sur ses capitaux. Il avait apuré ses comptes, et allait désormais toucher 50,000 francs tous les six mois sans avoir à payer ni impositions, ni réparations. Il concevait enfin la rente,[1] placement pour lequel les gens de province manifestent une répugnance invincible, et il se voyait, avant cinq ans, maître d'un capital de 6 millions grossi sans beaucoup de soin, et qui, joint à la valeur territoriale de ses propriétés, composerait une fortune colossale.

— Oh! oh! où va donc le père Grandet, qu'il court dès le matin comme au feu?[2] se dirent les marchands occupés à ouvrir leurs boutiques.

Puis, quand ils le virent revenant du quai suivi d'un facteur des Messageries transportant sur une brouette des sacs pleins:

— L'eau va toujours à la rivière,[3] le bonhomme allait à ses écus, disait l'un.

— Il lui en vient de Paris, de Froidfond, de Hollande! disait un autre.

— Il finira par acheter Saumur! s'écriait un troisième.

— Eh! Eh! monsieur Grandet, si ça vous gênait, lui dit un marchand de drap, son plus proche voisin, je vous en débarrasserais.

— Ouin![4] ce sont des sous, répondit le vigneron.

— D'argent,[5] dit le facteur à voix basse.

— Si tu veux que je te soigne,[1] mets une bride à ta margoulette, dit le bonhomme au facteur en ouvrant sa porte.

— Ah! le vieux renard, je le croyais sourd, pensa le facteur; il paraît que, quand il fait froid, il entend.

— Voilà vingt sous pour tes étrennes, et *motus!*[2] Détale! lui dit Grandet. Nanon te reportera ta brouette. — Nanon, nos linottes[3] sont-elles à la messe?

— Oui, Monsieur.

— Allons, haut la patte![4] à l'ouvrage! cria-t-il en la chargeant de sacs.

En un moment, les écus furent transportés dans sa chambre, où il s'enferma.

— Quand le déjeuner sera prêt, tu me cogneras au mur. Reporte la brouette aux Messageries.

La famille ne déjeuna qu'à dix heures.

— Ici, ton père ne demandera pas à voir ton or, dit Mme Grandet à sa fille en rentrant de la messe. D'ailleurs tu feras la frileuse.[5] Puis nous aurons le temps de remplir ton trésor pour le jour de ta naissance...

Grandet descendit l'escalier en pensant à métamorphoser promptement ses écus parisiens en bon or, et à son admirable spéculation des rentes sur l'État. Il était décidé à placer ainsi ses revenus jusqu'à ce que la rente atteignît le taux de 100 francs. Méditation funeste à Eugénie.

Aussitôt qu'il entra, les deux femmes lui souhaitèrent une bonne année, sa fille en lui sautant au cou et le câlinant, Mme Grandet gravement et avec dignité.

— Ah! ah! mon enfant, dit-il en baisant sa fille sur les joues, je travaille pour toi, vois-tu!... je veux ton bonheur. Il faut de l'argent pour être heureux. Sans argent, bernique.[6] Tiens, voilà un napoléon tout neuf, je l'ai fait venir de Paris. Nom d'un petit bonhomme, il n'y a pas un grain d'or ici. Il n'y a que toi qui as de l'or. Montre-moi ton or, fifille.[1]

— Bah! il fait trop froid; déjeunons, lui répondit Eugénie.

— Eh bien, après, hein?[2] Ça nous aidera tous à digérer. Ce gros des Grassins, il nous a envoyé ça tout de même, reprit-il. Ainsi, mangez, mes enfants, ça ne nous coûte rien. Il va bien,[3] des Grassins, je suis content de lui. Le merluchon[4] rend service à Charles, et *gratis* encore. Il arrange très bien les affaires de ce pauvre défunt Grandet. — Ououh! ououh! fit-il, la bouche pleine, après une pause, cela est bon! Manges-en donc, ma femme! ça nourrit au moins pour deux jours.

— Je n'ai pas faim. Je suis toute malingre, tu le sais bien.

— Ah! ouin! Tu peux te bourrer sans crainte de faire crever ton coffre;[5] tu es une La Bertellière, une femme solide. Tu es bien un petit brin jaunette,[6] mais j'aime le jaune.

L'attente d'une mort ignominieuse et publique est moins horrible peut-être pour un condamné que ne l'était pour Mme Grandet et pour sa fille l'attente des événements qui devaient terminer ce déjeuner de famille. Plus gaiement parlait et mangeait le vieux vigneron, plus le cœur de ces deux femmes se serrait. La fille avait néanmoins un appui dans cette conjoncture: elle puisait de la force en son amour.

— Pour lui, pour lui, se disait-elle, je souffrirais mille morts.

A cette pensée, elle jetait à sa mère des regards flamboyants de courage.

— Ôte tout cela, dit Grandet à Nanon quand, vers onze heures, le déjeuner fut achevé; mais laisse-nous la table. — Nous serons plus à l'aise pour voir ton petit trésor, dit-il en regardant Eugénie. Petit! ma foi, non. Tu possèdes, valeur intrinsèque, cinq mille neuf cent cinquante-neuf francs, et quarante de ce matin,[1] cela fait six mille francs moins un. Eh bien, je te donnerai, moi, ce franc pour compléter la somme, parce que, vois-tu, fifille... — Eh bien, pourquoi nous écoutes-tu? Montre-moi tes talons, Nanon, et va faire ton ouvrage, dit le bonhomme.

Nanon disparut.

— Écoute, Eugénie, il faut que tu me donnes ton or. Tu ne le refuseras pas à ton pépère,[2] ma petite fifille, hein?

Les deux femmes étaient muettes.

— Je n'ai plus d'or, moi. J'en avais, je n'en ai plus. Je te rendrai six mille francs en livres,[3] et tu vas les placer comme je vais te le dire. Il ne faut plus penser au douzain.[4] Quand je te marierai, ce qui sera bientôt, je te trouverai un futur qui pourra t'offrir le plus beau douzain dont on aura jamais parlé dans la province. Écoute donc, fifille. Il se présente une belle occasion: tu peux mettre tes six mille francs dans le gouvernement,[5] et tu en auras tous les six mois près de deux cents francs d'intérêts, sans impôts, ni réparations, ni grêle, ni gelée, ni marée, ni rien de ce qui tracasse les revenus. Tu répugnes peut-être à te séparer de ton or, hein, fifille? Apporte-le-moi tout de même. Je te ramasserai des pièces d'or, des hollandaises, des portugaises, des roupies du Mogol, des génovines;[6] et, avec celles que je te donnerai à tes fêtes, en trois ans tu auras rétabli la moitié de ton joli petit trésor en or. Que dis-tu, fifille? Lève donc le nez.[1] Allons, va le chercher, le mignon.[2] Tu devrais me baiser sur les yeux pour te dire ainsi des secrets et des mystères de vie et de mort pour les écus. Vraiment, les écus vivent et grouillent comme des hommes: ça va, ça vient, ça sue, ça produit.

Eugénie se leva, mais, après avoir fait quelques pas vers la porte, elle se retourna brusquement, regarda son père en face et lui dit:

— Je n'ai plus mon or.

— Tu n'as plus ton or! s'écria Grandet en se dressant sur ses jarrets comme un cheval qui entend tirer le canon à dix pas de lui.[3]

— Non, je ne l'ai plus.

— Mais tu te trompes, Eugénie.

— Non.

— *Par la serpette de mon père!*

Quand le tonnelier jurait ainsi, les planchers tremblaient.

— Bon saint bon Dieu![4] voilà madame qui pâlit, cria Nanon.

— Grandet, ta colère me fera mourir, dit la pauvre femme.

— Ta ta ta ta! vous autres, vous ne mourez jamais dans votre famille! — Eugénie, qu'avez-vous fait de vos pièces? cria-t-il en fondant sur elle.

— Monsieur, dit la fille aux genoux de Mme Grandet, ma mère souffre beaucoup... voyez... Ne la tuez pas.

Grandet fut épouvanté de la pâleur répandue sur le teint de sa femme, naguère si jaune.

— Nanon, venez m'aider à me coucher, dit la mère d'une voix faible. Je meurs...

Aussitôt Nanon donna le bras à sa maîtresse, autant

en fit Eugénie, et ce ne fut pas sans des peines infinies qu'elles purent la monter chez elle, car elle tombait en défaillance de marche en marche. Grandet resta seul. Néanmoins, quelques moments après, il monta sept ou huit marches, et cria:

— Eugénie, quand votre mère sera couchée, vous descendrez.

— Oui, mon père.

Elle ne tarda pas à venir, après avoir rassuré sa mère.

— Ma fille, lui dit Grandet, vous allez me dire où est votre trésor.

— Mon père, si vous me faites des présents dont je ne sois pas entièrement maîtresse, reprenez-les, répondit froidement Eugénie en cherchant le napoléon sur la cheminée et le lui présentant.

Grandet saisit vivement le napoléon et le coula dans son gousset.

— Je crois bien que je ne te donnerai plus rien! Pas seulement ça! dit-il en faisant claquer l'ongle de son pouce sous sa maîtresse dent. Vous méprisez donc votre père? Vous n'avez donc pas confiance en lui? Vous ne savez donc pas ce que c'est qu'un père? S'il n'est pas tout pour vous, il n'est rien. Où est votre or?

— Mon père, je vous aime et vous respecte, malgré votre colère; mais je vous ferai fort humblement observer que j'ai vingt-deux ans. Vous m'avez assez souvent dit que je suis majeure, pour que je le sache. J'ai fait de mon argent ce qu'il m'a plu d'en faire, et soyez sûr qu'il est bien placé...

— Où?

— C'est un secret inviolable, dit-elle. N'avez-vous pas vos secrets?

— Ne suis-je pas le chef de ma famille? Ne puis-je avoir mes affaires?

— C'est aussi mon affaire.

— Cette affaire doit être mauvaise, si vous ne pouvez pas la dire à votre père, mademoiselle Grandet.

— Elle est excellente, et je ne puis pas la dire à mon père.

— Au moins, quand avez-vous donné votre or?

Eugénie fit un signe de tête négatif.

— Vous l'aviez encore le jour de votre fête, hein?

Eugénie, devenue aussi rusée par amour que son père l'était par avarice, réitéra le même signe de tête.

— Mais on n'a jamais vu pareil entêtement, ni vol pareil! dit Grandet d'une voix qui alla *crescendo* et qui fit graduellement retentir la maison. Comment! ici dans ma propre maison, chez moi, quelqu'un aura pris ton or! le seul or qu'il y avait! et je ne saurai pas qui? L'or est une chose chère. Les plus honnêtes filles peuvent faire des fautes, donner je ne sais quoi, cela se voit chez les grands seigneurs et même chez les bourgeois; mais donner de l'or, car vous l'avez donné à quelqu'un, hein?

Eugénie fut impassible.

— A-t-on vu pareille fille! Est-ce moi qui suis votre père? Si vous l'avez placé, vous en avez un reçu...

— Étais-je libre, oui ou non, d'en faire ce que bon me semblait?[1] Était-ce à moi?

— Mais tu es une enfant!

— Majeure.

Abasourdi par la logique de sa fille, Grandet pâlit, trépigna, jura; puis trouvant enfin des paroles, il cria:

— Maudit serpent de fille![2] ah mauvaise graine! tu sais bien que je t'aime, et tu en abuses. Elle égorge son père!

Pardieu! tu auras jeté[1] notre fortune aux pieds de ce va-nu-pieds qui a des bottes de maroquin. Par la serpette de mon père! je ne peux pas te déshériter, nom d'un tonneau![2] mais je te maudis, toi, ton cousin, et tes enfants! Tu ne verras rien arriver de bon de tout cela, entends-tu? Si c'était à Charles que... Mais non, ce n'est pas possible. Quoi! ce fichu mirliflore m'aurait dévalisé?...

Il regarda sa fille, qui restait muette et froide.

— Elle ne bougera pas! elle ne sourcillera pas, elle est plus Grandet, fichtre![3] que je ne suis Grandet. Tu n'as pas donné ton or pour rien, au moins?[4] Voyons, dis?

Eugénie regarda son père, en lui jetant un regard ironique qui l'offensa.

— Eugénie, vous êtes chez moi, chez votre père. Vous devez, pour y rester, vous soumettre à ses ordres. Les prêtres vous ordonnent de m'obéir.

Eugénie baissa la tête.

— Vous m'offensez dans ce que j'ai de plus cher, reprit-il, je ne veux vous voir que soumise. Allez dans votre chambre. Vous y demeurerez jusqu'à ce que je vous permette d'en sortir. Nanon vous y portera du pain et de l'eau. Vous m'avez entendu, marchez![5]

Eugénie fondit en larmes et se sauva près de sa mère.

Après avoir fait un certain nombre de fois le tour de son jardin dans la neige, sans s'apercevoir du froid, Grandet se douta que sa fille devait être chez sa femme; et, charmé de la prendre en contravention à ses ordres,[6] il grimpa les escaliers avec l'agilité d'un chat, et apparut dans la chambre de Mme Grandet au moment où elle caressait les cheveux d'Eugénie, dont le visage était plongé dans le sein maternel.

— Console-toi, ma pauvre enfant, ton père s'apaisera.

— Elle n'a plus de père! dit le tonnelier. Est-ce bien vous et moi, madame Grandet, qui avons fait une fille désobéissante comme l'est celle-là? Jolie éducation, et religieuse surtout! — Eh bien, vous n'êtes pas dans votre chambre? Allons, en prison,[1] en prison, mademoiselle.

— Voulez-vous me priver de ma fille, monsieur? dit Mme Grandet en montrant un visage rougi par la fièvre.

— Si vous la voulez garder, emportez-la, videz-moi toutes deux la maison... Tonnerre! où est l'or? qu'est devenu l'or?[2]

Eugénie se leva, lança un regard d'orgueil sur son père, et rentra dans sa chambre, à laquelle le bonhomme donna un tour de clef.[3]

— Nanon, cria-t-il, éteins le feu de la salle.

Et il vint s'asseoir sur un fauteuil, au coin de la cheminée de sa femme, en lui disant:

— Elle l'a donné sans doute à ce misérable séducteur de Charles,[4] qui n'en voulait qu'à[5] notre argent.

Mme Grandet trouva, dans le danger qui menaçait sa fille et dans son sentiment pour elle, assez de force pour demeurer en apparence froide, muette et sourde.

— Je ne savais rien de tout ceci, répondit-elle en se tournant du côté de la ruelle du lit[6] pour ne pas subir les regards étincelants de son mari. Je souffre tant de votre violence, que, si j'en crois mes pressentiments, je ne sortirai d'ici que les pieds en avant.[7] Vous auriez dû m'épargner en ce moment, monsieur, moi qui ne vous ai jamais causé de chagrin, du moins, je le pense. Votre fille vous aime, je la crois innocente autant que l'enfant qui naît: ainsi ne lui faites pas de peine, révoquez votre arrêt. Le froid est bien vif, vous pouvez être cause de quelque grave maladie.

— Je ne la verrai ni ne lui parlerai. Elle restera dans sa chambre au pain et à l'eau jusqu'à ce qu'elle ait satisfait son père. Que diable![1] un chef de famille doit savoir où va l'or de sa maison. Elle possédait les seules roupies qui fussent en France peut-être, puis des génovines, des ducats de Hollande...

— Monsieur, Eugénie est notre unique enfant, et, quand même elle les aurait jetés à l'eau[2]...

— A l'eau! cria le bonhomme, à l'eau! Vous êtes folle, madame Grandet. Ce que j'ai dit est dit, vous le savez. Si vous voulez avoir la paix au logis, confessez votre fille, tirez-lui les vers du nez;[3] les femmes s'entendent mieux entre elles à ça que nous autres. Quoi qu'elle ait pu faire, je ne la mangerai point. A-t-elle peur de moi? Quand elle aurait doré son cousin de la tête aux pieds, il est en pleine mer, hein! nous ne pouvons pas courir après...

— Eh bien, monsieur...

Excitée par la crise nerveuse où elle se trouvait, ou par le malheur de sa fille qui développait sa tendresse et son intelligence, la perspicacité de Mme Grandet lui fit apercevoir un mouvement terrible dans la loupe de son mari, au moment où elle répondait; elle changea d'idée sans changer de ton:

— Eh bien, monsieur, ai-je plus d'empire sur elle que vous n'en avez? Elle ne m'a rien dit: elle tient de vous.

— Tudieu! comme vous avez la langue pendue ce matin![4] Ta ta ta ta! vous me narguez, je crois. Vous vous entendez peut-être avec elle.

Il regarda sa femme fixement.

— En vérité, monsieur Grandet, si vous voulez me tuer, vous n'avez qu'à continuer ainsi. Je vous le dis, monsieur, et dût-il m'en coûter la vie, je vous le répéterais encore: vous avez tort envers votre fille, elle est plus raisonnable que vous ne l'êtes. Cet argent lui appartenait, elle n'a pu qu'en faire un bel usage, et Dieu seul a le droit de connaître nos bonnes œuvres. Monsieur, je vous en supplie, rendez vos bonnes grâces à Eugénie!... Vous amoindrirez ainsi l'effet du coup que m'a porté votre colère, et vous me sauverez peut-être la vie. Ma fille, monsieur, rendez-moi ma fille.

— Je fiche le camp![1] dit-il. Ma maison n'est pas tenable, la mère et la fille raisonnent et parlent comme si... — Brooouh! Pouah![2] — Vous m'avez donné de cruelles étrennes, Eugénie! cria-t-il. Oui, oui, pleurez! Ce que vous faites vous causera des remords, entendez-vous? A quoi donc vous sert de manger le bon Dieu[3] six fois tous les trois mois, si vous donnez l'or de votre père à un fainéant qui vous dévorera votre cœur quand vous n'aurez plus que ça à lui prêter? Vous verrez ce que vaut Charles, avec ses bottes de maroquin et son air de ne pas y toucher.[4] Il n'a ni cœur ni âme, puisqu'il ose emporter le trésor d'une pauvre fille sans l'agrément de ses parents.

Quand la porte de la rue fut fermée, Eugénie sortit de sa chambre et vint près de sa mère.

— Vous avez eu bien du courage pour votre fille, lui dit-elle.

— Vois-tu, mon enfant, où nous mènent les choses illicites! Tu m'as fait faire[5] un mensonge.

— Oh! je demanderai à Dieu de m'en punir seule.

Pendant quelques mois, le vigneron vint voir constamment sa femme à des heures différentes dans la journée, sans prononcer le nom de sa fille, sans la voir, ni faire à elle la moindre allusion. Mme Grandet ne quitta point sa chambre, et de jour en jour son état empira. Rien ne fit plier le vieux tonnelier. Il restait inébranlable, âpre et froid comme une pile de granit. Il continua d'aller et venir selon ses habitudes; mais il ne bégaya plus, causa moins et se montra dans les affaires plus dur qu'il ne l'avait jamais été. Souvent il lui échappait quelque erreur dans ses chiffres.

— Il s'est passé quelque chose chez les Grandet, disaient les Cruchotins et les Grassinistes.

— Qu'est-il donc arrivé dans la maison Grandet? fut une question convenue[1] que l'on s'adressait généralement dans toutes les soirées à Saumur.

Eugénie allait aux offices sous la conduite de Nanon. Au sortir de l'église, si Mme des Grassins lui adressait quelques paroles, elle y répondait d'une manière évasive et sans satisfaire sa curiosité.

Néanmoins, il fut impossible au bout de deux mois de cacher, soit au trois Cruchot, soit à Mme des Grassins, le secret de la réclusion d'Eugénie. Il y eut un moment où les prétextes manquèrent pour justifier sa perpétuelle absence. Puis, sans qu'on pût savoir par qui le secret avait été trahi, toute la ville apprit que, depuis le premier jour de l'an Mlle Grandet était, par l'ordre de son père, enfermée dans sa chambre, au pain et à l'eau, sans feu; que Nanon lui faisait des friandises, les lui apportait pendant la nuit; et l'on savait même que la jeune personne ne pouvait voir et soigner sa mère que pendant le temps où son père était absent du logis.

La conduite de Grandet fut alors jugée très sévèrement. La ville entière le mit pour ainsi dire hors la loi,[2] se souvint de ses trahisons, de ses duretés, et l'excommunia. Quand il passait, chacun se le montrait en chuchotant.

Lorsque sa fille descendait la rue tortueuse pour aller

à la messe ou aux vêpres, accompagnée de Nanon, tous les habitants se mettaient aux fenêtres pour examiner avec curiosité la contenance de la riche héritière et son visage où se peignaient une mélancolie et une douceur angéliques. Sa réclusion, la disgrâce de son père[1] n'étaient rien pour elle. Ne voyait-elle pas la mappe-monde, le petit banc, le jardin, le pan de mur, et ne reprenait-elle pas sur ses lèvres le miel qu'y avaient laissé les baisers de l'amour? Elle ignora pendant quelque temps les conversations dont elle était l'objet en ville, tout aussi bien que les ignorait son père. Religieuse et pure devant Dieu, sa conscience et l'amour l'aidaient patiemment à supporter la colère et la vengeance paternelles.

Mais une douleur profonde faisait taire toutes les autres douleurs — Sa mère, douce et tendre créature qui s'embellissait de l'éclat que jetait son âme en approchant de la tombe, sa mère dépérissait de jour en jour. Souvent Eugénie se reprochait d'avoir été la cause innocente de la cruelle maladie qui la dévorait. Ces remords, quoique calmés par sa mère, l'attachaient encore plus étroitement à son amour. Tous les matins, aussitôt que son père était sorti, elle venait au chevet du lit de sa mère, en[2] montrait le visage à Nanon, par un geste muet, pleurait et n'osait parler de son cousin. Mme Grandet, la première, était forcée de lui dire:

— Où est-*il?* Pourquoi n'écrit-*il* pas?

La mère et la fille ignoraient complètement les distances.

— Pensons à lui, ma mère, répondait Eugénie, et n'en parlons pas. Vous souffrez! vous, avant tout.

Tout, c'était *lui*.

— Mes enfants, disait Mme Grandet, je ne regrette

point la vie. Dieu m'a protégée en me faisant envisager avec joie le terme de mes misères.

Les paroles de cette femme étaient constamment saintes et chrétiennes. Quand, au moment de déjeuner près d'elle, son mari venait se promener dans sa chambre, elle lui dit, pendant les premiers mois de l'année, les mêmes discours, répétés avec une douceur angélique, mais avec la fermeté d'une femme à qui une mort prochaine donnait le courage qui lui avait manqué pendant sa vie.

— Monsieur, je vous remercie de l'intérêt que vous prenez à ma santé, lui répondait-elle quand il lui avait fait la plus banale des demandes; mais, si vous voulez adoucir l'amertume de mes derniers moments et alléger mes douleurs, rendez vos bonnes grâces à votre fille. Montrez-vous chrétien, époux, et père.

En entendant ces mots, Grandet s'asseyait près du lit et agissait comme un homme qui, voyant venir une averse, se met tranquillement à l'abri sous une porte cochère: il écoutait silencieusement sa femme, et ne répondait rien. Quand les plus touchantes, les plus tendres, les plus religieuses supplications lui avaient été adressées, il disait:

— Tu es un peu pâlotte aujourd'hui, ma pauvre femme.

L'oubli le plus complet de sa fille semblait être gravé sur son front de grès, sur ses lèvres serrées. Il n'était même pas ému par les larmes que ses vagues réponses, dont les termes étaient à peine variés, faisaient couler le long du blanc visage de sa femme.

— Que Dieu vous pardonne, monsieur, disait-elle, comme je vous pardonne moi-même. Vous aurez un jour besoin d'indulgence.

Depuis la maladie de sa femme, il n'avait plus osé se servir de son terrible *Ta ta ta ta!* Mais aussi, son despotisme n'était-il pas désarmé par cet ange de douceur, dont la laideur disparaissait de jour en jour, chassée par l'expression des qualités morales qui venaient fleurir sur sa face.

Le spectacle de cette transformation accomplie par les souffrances qui consumaient les lambeaux de l'être humain dans cette femme, agissait, quoique faiblement, sur le vieux tonnelier, dont le caractère resta de bronze. Si sa parole ne fut plus dédaigneuse, un imperturbable silence, qui sauvait sa supériorité de père de famille, domina sa conduite.

Enfin, un soir vers la fin du printemps, Mme Grandet, dévorée par le chagrin encore plus que par la maladie, n'ayant pas réussi, malgré ses prières, à réconcilier Eugénie et son père, confia ses peines secrètes aux Cruchot.

— Mettre une fille de vingt-trois ans au pain sec et à l'eau!... s'écria le président de Bonfons, et sans motifs; mais cela constitue *des sévices tortionnaires;*[1] *elle peut protester contre, et tant dans que sur*[2]...

— Allons, mon neveu, dit le notaire, laissez votre baragouin de Palais.[3] — Soyez tranquille, madame, je ferai finir cette réclusion dès demain.

En entendant parler d'elle, Eugénie sortit de sa chambre.

— Messieurs, dit-elle en s'avançant par un mouvement plein de fierté, je vous prie de ne pas vous occuper de cette affaire. Mon père est maître chez lui. Tant que j'habiterai sa maison, je dois lui obéir. Sa conduite ne saurait être soumise à l'approbation ni à la désapprobation du monde, il n'en est comptable qu'à Dieu. Je réclame de votre amitié le plus profond silence à cet égard. Blâmer mon père serait attaquer notre propre considération. Je vous sais gré, messieurs, de l'intérêt que vous me témoignez; mais vous m'obligeriez davantage si vous vouliez faire cesser les bruits offensants qui courent par la ville, et desquels j'ai été instruite par hasard.

— Elle a raison, dit Mme Grandet.

— Mademoiselle, la meilleure manière d'empêcher le monde de jaser est de vous faire rendre la liberté, lui répondit respectueusement le vieux notaire, frappé de la beauté que la retraite, la mélancolie et l'amour avaient imprimée à Eugénie.

— Eh bien, ma fille, laisse à M. Cruchot le soin d'arranger cette affaire, puisqu'il répond du succès. Il connaît ton père et sait comment il faut le prendre.[1] Si tu veux me voir heureuse pendant le peu de temps qui me reste à vivre, il faut, à tout prix, que, ton père et toi, vous soyez réconciliés.

Le lendemain, suivant une habitude prise par Grandet depuis la réclusion d'Eugénie, il vint faire un certain nombre de tours dans son petit jardin. Il avait pris pour cette promenade le moment où Eugénie se peignait.[2] Quand le bonhomme arrivait au gros noyer, il se cachait derrière un tronc de l'arbre, restait pendant quelques instants à contempler les longs cheveux de sa fille, et flottait sans doute entre les pensées que lui suggérait la ténacité de son caractère et le désir d'embrasser son enfant.

Souvent, il demeurait assis sur le petit banc de bois pourri où Charles et Eugénie s'étaient juré un éternel amour, pendant qu'elle regardait aussi son père à la dérobée ou dans son miroir. S'il se levait et recommençait sa promenade, elle s'asseyait complaisamment à la fenêtre et se mettait à examiner le pan de mur où pendaient les plus jolies fleurs, d'où sortaient, d'entre les crevasses, des cheveux de Vénus, des liserons et une plante grasse, jaune ou blanche, un *sedum*,[1] très abondant dans les vignes à Saumur et à Tours. Maître Cruchot vint de bonne heure et trouva le vieux vigneron assis, par un beau jour de juin, sur le petit banc, le dos appuyé au mur mitoyen,[2] occupé à voir sa fille.

— Qu'y a-t-il pour votre service, maître Cruchot? dit-il en apercevant le notaire.

— Je viens vous parler d'affaires.

— Ah! Ah! avez-vous un peu d'or à me donner contre des écus?

— Non, non, il ne s'agit pas d'argent, mais de votre fille Eugénie. Tout le monde parle d'elle et de vous.

— De quoi se mêle-t-on?[3] Charbonnier est maître chez lui.

— D'accord, le charbonnier est maître de se tuer aussi, ou, ce qui est pis, de jeter son argent par les fenêtres.

— Comment cela?

— Eh! mais votre femme est très malade, mon ami. Vous devriez même consulter M. Bergerin, elle est en danger de mort. Si elle venait à mourir sans avoir été soignée comme il faut, vous ne seriez pas tranquille, je le crois.

— Ta ta ta ta! vous savez ce qu'a ma femme. Ces médecins, une fois qu'ils ont mis les pieds chez vous, ils viennent des cinq[4] ou six fois par jour.

— Enfin, Grandet, vous ferez comme vous l'entendrez.[5] Nous sommes de vieux amis; il n'y a pas, dans tout Saumur, un homme qui prenne plus que moi d'intérêt à ce qui vous concerne; j'ai donc dû vous dire cela. Maintenant, arrive qui plante,[6] vous êtes majeur, vous savez vous conduire, allez.[7] Ceci n'est d'ailleurs pas l'affaire qui m'amène. Il s'agit de quelque chose de plus grave pour vous, peut-être. Après tout, vous n'avez pas envie de tuer votre femme, elle vous est trop utile. Songez donc à la situation où vous seriez, vis-à-vis de votre fille, si Mme Grandet mourait. Vous devriez des comptes à Eugénie, puisque vous êtes commun en biens avec votre femme.[1] Votre fille sera en droit de réclamer le partage de votre fortune, de faire vendre Froidfond. Enfin, elle succède à sa mère, de qui vous ne pouvez pas hériter.

Ces paroles furent un coup de foudre pour le bonhomme, qui n'était pas aussi fort en législation qu'il pouvait l'être en commerce. Il n'avait jamais pensé à une licitation.[2]

— Ainsi je vous engage à la traiter avec douceur, dit Cruchot en terminant.

— Mais savez-vous ce qu'elle a fait, Cruchot?

— Quoi? dit le notaire, curieux de recevoir une confidence du père Grandet et de connaître la cause de la querelle.

— Elle a donné son or.

— Eh bien, était-il à elle? demanda le notaire.

— Ils me disent tous cela! dit le bonhomme en laissant tomber ses bras par un mouvement tragique.

— Allez-vous, pour une misère,[3] reprit Cruchot, mettre des entraves aux concessions que vous lui demanderez de vous faire à la mort de sa mère?

— Ah! vous appelez six mille francs d'or une misère?

— Eh! mon vieil ami, savez-vous ce que coûteront l'inventaire et le partage de la succession de votre femme, si Eugénie l'exige?

— Quoi?

— Deux, ou trois, quatre cent mille francs peut-être! Ne faudra-t-il pas liciter, et vendre pour connaître la véritable valeur? Au lieu qu'en vous entendant[4]...

— Par la serpette de mon père! s'écria le vigneron, qui s'assit en pâlissant, nous verrons ça, Cruchot.

Après un moment de silence ou d'agonie, le bonhomme regarda le notaire en lui disant:

— La vie est bien dure! Il s'y trouve bien des douleurs. — Cruchot, reprit-il solennellement, vous ne voulez pas me tromper, jurez-moi sur l'honneur que ce que vous me chantez[1] là est fondé en droit. Montrez-moi le Code,[2] je veux voir le Code!

— Mon pauvre ami, répondit le notaire, ne sais-je pas mon métier?

— Cela est donc bien vrai? Je serai dépouillé, trahi, tué, dévoré par ma fille.

— Elle hérite de sa mère.

— A quoi servent donc les enfants! Ah! ma femme, je l'aime! Elle est solide heureusement: c'est une La Bertellière.

— Elle n'a pas un mois à vivre.

Le tonnelier se frappa le front, marcha, revint, et, jetant un regard effrayant à Cruchot:

— Comment faire?[3] lui dit-il.

— Eugénie pourra renoncer purement et simplement à la succession de sa mère. Vous ne voulez pas la déshériter, n'est-ce pas? Mais, pour obtenir une concession de ce genre, ne la rudoyez pas. Ce que je vous dis là, mon vieux, est contre mon intérêt. Qu'ai-je à faire, moi?... des liquidations, des inventaires, des ventes, des partages...

— Nous verrons, nous verrons. Ne parlons plus de cela, Cruchot. Vous me tribouillez les entrailles.[4] Avez-vous reçu de l'or?

— Non; mais j'ai quelques vieux louis, une dizaine, je vous les donnerai. Mon bon ami, faites la paix avec

Eugénie. Voyez-vous, tout Saumur vous jette la pierre.

— Les drôles![1]

— Allons, les rentes[2] sont à 99. Soyez donc content une fois dans la vie.

— A 99, Cruchot?

— Oui.

— Eh! eh! 99! dit le bonhomme en reconduisant le vieux notaire jusqu'à la porte de la rue.

Puis, trop agité par ce qu'il venait d'entendre pour rester au logis, il monta chez sa femme et lui dit:

— Allons, la mère, tu peux passer la journée avec ta fille, je vas[3] à Froidfond. Soyez gentilles toutes deux. C'est le jour de notre mariage, ma bonne femme: tiens, voilà dix écus pour ton reposoir de la Fête-Dieu.[4] Il y a assez longtemps que tu veux en faire un, régale-toi! Amusez-vous, soyez joyeuses, portez-vous bien. Vive la joie!

Il jeta dix écus de six francs sur le lit de sa femme et lui prit la tête pour la baiser au front.

— Bonne femme, tu vas mieux, n'est-ce pas?

— Comment pouvez-vous penser à recevoir dans votre maison le Dieu qui pardonne, en tenant votre fille exilée de votre cœur? dit-elle avec émotion.

— Ta ta ta ta! dit le père d'une voix caressante, nous verrons cela.

— Bonté du ciel! Eugénie, cria la mère en rougissant de joie, viens embrasser ton père, il te pardonne!

Mais le bonhomme avait disparu. Il se sauvait à toutes jambes[5] vers ses closeries en tâchant de mettre en ordre ses idées renversées. Grandet commençait alors sa soixante-douzième année. Depuis deux ans principalement, son avarice s'était accrue comme s'accroissent toutes les passions persistantes de l'homme. Suivant une observation faite sur[1] les avares, sur les ambitieux, sur tous les gens dont la vie a été consacrée à une idée dominante, son sentiment avait affectionné plus particulièrement un symbole de sa passion.[2] La vue de l'or, la possession de l'or était devenue sa monomanie. Son esprit de despotisme avait grandi en proportion de son avarice, et abandonner la direction de la moindre partie de ses biens à la mort de sa femme lui paraissait une chose contre nature. Déclarer sa fortune à sa fille, inventorier l'universalité de ses biens meubles et immeubles[3] pour les liciter...

— Ce serait à se couper la gorge,[4] dit-il tout haut au milieu d'un clos en examinant les ceps.

Enfin il prit son parti, revint à Saumur à l'heure du dîner, résolu de plier devant Eugénie, de la cajoler, de l'amadouer afin de pouvoir mourir royalement, en tenant jusqu'au dernier soupir[5] les rênes de ses millions. Au moment où le bonhomme, qui, par hasard, avait pris son passe-partout, montait l'escalier à pas de loup pour venir chez sa femme, Eugénie avait apporté sur le lit de sa mère le beau nécessaire. Toutes deux, en l'absence de Grandet, se donnaient le plaisir de voir le portrait de Charles en examinant celui de sa mère.

— C'est tout à fait son front et sa bouche! disait Eugénie au moment où le vigneron ouvrait la porte.

Au regard que jeta son mari sur l'or, Mme Grandet cria:

— Mon Dieu, ayez pitié de nous!

Le bonhomme sauta sur le nécessaire comme un tigre fond sur un enfant endormi.

— Qu'est-ce que c'est que cela? dit-il en emportant le trésor et allant se placer à la fenêtre. — Du bon or! de l'or! s'écria-t-il. Beaucoup d'or! ça pèse deux livres. — Ah! ah! Charles t'a donné cela contre tes belles pièces, hein? Pourquoi ne me l'avoir pas dit? C'est une bonne affaire,[1] fifille! Tu es ma fille, je te reconnais.

Eugénie tremblait de tous ses membres.

— N'est-ce pas, ceci est à Charles? reprit le bonhomme.

— Oui, mon père, ce n'est pas à moi. Ce meuble est un dépôt sacré.

— Ta ta ta ta! il a pris ta fortune, faut te rétablir ton petit trésor.

— Mon père!

Le bonhomme voulut prendre son couteau pour faire sauter[2] une plaque d'or, et fut obligé de poser le nécessaire sur une chaise. Eugénie s'élança pour le ressaisir; mais le tonnelier, qui avait tout à la fois l'œil à sa fille et au coffret, la repoussa si violemment en étendant le bras, qu'elle alla tomber sur le lit de sa mère.

— Monsieur! monsieur! cria la mère en se dressant sur son lit.

Grandet avait tiré son couteau et s'apprêtait à soulever l'or.

— Mon père, cria Eugénie en se jetant à genoux et marchant ainsi[3] pour arriver plus près du bonhomme et lever les mains vers lui; mon père, au nom de tous les saints et de la Vierge, au nom du Christ, qui est mort sur la croix; au nom de votre salut éternel, mon père, au nom de ma vie, ne touchez pas à cela! Ce nécessaire n'est ni à vous, ni à moi; il est à un malheureux parent qui me l'a confié, et je dois le lui rendre intact.

— Pourquoi le regardais-tu, si c'est un dépôt? Voir, c'est pis que toucher.

— Mon père, ne le détruisez pas, ou vous me déshonorez! Mon père, entendez-vous?

— Monsieur, grâce! dit la mère.

— Mon père! cria Eugénie d'une voix si éclatante,[1] que Nanon, effrayée, monta.

Eugénie sauta sur un couteau qui était à sa portée et s'en arma.

— Eh bien? lui dit tranquillement Grandet en souriant à froid.[2]

— Monsieur, monsieur, vous m'assassinez! dit la mère.

— Mon père, si votre couteau entame seulement une parcelle de cet or, je me perce de celui-ci. Vous avez déjà rendu ma mère mortellement malade, vous tuerez encore votre fille. Allez maintenant,[3] blessure pour blessure!

Grandet tint son couteau sur le nécessaire, et regarda sa fille en hésitant.

— En serais-tu donc capable, Eugénie? dit-il.

— Oui, monsieur, dit la mère.

— Elle le ferait comme elle le dit, cria Nanon. Soyez donc raisonnable, monsieur, une fois dans votre vie.

Le tonnelier regarda l'or et sa fille alternativement pendant un instant. Mme Grandet s'évanouit.

— Là, voyez-vous, mon cher mignon monsieur![4] Madame se meurt! cria Nanon.

— Tiens, ma fille, ne nous brouillons pas pour un coffre. Prends donc! s'écria vivement le tonnelier en jetant le nécessaire sur le lit. — Toi, Nanon, va chercher M. Bergerin. — Allons, la mère,[5] dit-il en baisant la main de sa femme, ce n'est rien, va:[6] nous avons fait la paix. — Pas vrai, fifille? Plus de pain sec, tu mangeras tout ce que tu voudras... Ah! elle ouvre les yeux. — Eh bien, la mère, mémère, timère,[1] allons donc! Tiens, vois, j'embrasse Eugénie. Elle aime son cousin, elle l'épousera si elle veut, elle lui gardera le petit coffre. Mais vis longtemps, ma pauvre femme. Allons, remue donc! Écoute, tu auras le plus beau reposoir qui se soit jamais fait à Saumur.

— Mon Dieu, pouvez-vous traiter ainsi votre femme et votre enfant! dit d'une voix faible Mme Grandet.

— Je ne le ferai plus, plus! cria le tonnelier. Tu vas voir, ma pauvre femme.

Il alla à son cabinet et revint avec une poignée de louis, qu'il éparpilla sur le lit.

— Tiens, Eugénie, tiens, ma femme, voilà pour vous, dit-il en maniant les louis. Allons, égaye-toi, ma femme; porte-toi bien, tu ne manqueras de rien, ni Eugénie non plus. Voilà cent louis d'or pour elle. Tu ne les donneras pas, Eugénie, ceux-là, hein?

Mme Grandet et sa fille se regardèrent, étonnées.

— Reprenez-les, mon père; nous n'avons besoin que de votre tendresse.

— Eh bien, c'est ça, dit-il en empochant les louis, vivons tous comme de bons amis. Descendons tous dans la salle pour dîner, pour jouer au loto tous les soirs, à deux sous. Faites vos farces![2] Hein, ma femme?

— Hélas! je le voudrais bien, puisque cela peut vous être agréable, dit la mourante; mais je ne saurais me lever.

— Pauvre mère, dit le tonnelier, tu ne sais pas combien je t'aime. — Et toi, ma fille!

Il la serra, l'embrassa.

— Oh! comme c'est bon d'embrasser sa fille après une brouille! Ma fifille! — Tiens, vois-tu, mémère, nous ne faisons qu'un, maintenant. — Va donc serrer cela, dit-il à Eugénie en lui montrant le coffret. Va, ne crains rien Je ne t'en parlerai plus, jamais. Va.

M. Bergerin, le plus célèbre médecin de Saumur, arriva bientôt. La consultation finie, il déclara positivement à Grandet que sa femme était bien mal, mais qu'un grand calme d'esprit, un régime doux et des soins minutieux pourraient reculer l'époque de sa mort vers la fin de l'automne.

— Ça coûtera-t-il cher? dit le bonhomme; faut-il des drogues?

— Peu de drogues, mais beaucoup de soins, répondit le médecin qui ne put retenir un sourire.

— Enfin, monsieur Bergerin, répondit Grandet, vous êtes un homme d'honneur, pas vrai? Je me fie à vous, venez voir ma femme toutes et quantes[1] fois que vous le jugerez convenable. Conservez-moi ma bonne femme; je l'aime beaucoup, voyez-vous, sans que ça paraisse, parce que, chez moi, tout se passe en dedans et me trifouille l'âme.[2] J'ai du chagrin. Le chagrin est entré chez moi avec la mort de mon frère, pour lequel je dépense, à Paris, des sommes,.. les yeux de la tête, enfin![3] et ça ne finit point. Adieu, monsieur. Si l'on peut sauver ma femme, sauvez-la, quand même il faudrait dépenser pour ça, cent ou deux cents francs.

Malgré les souhaits fervents que Grandet faisait pour la santé de sa femme, dont la succession ouverte était une première mort pour lui; malgré la complaisance qu'il manifestait en toute occasion pour les moindres volontés de la mère et de la fille étonnées; malgré les soins les plus tendres prodigués par Eugénie, Mme Grandet marcha rapidement vers la mort. Chaque jour elle s'affaiblissait et dépérissait comme dépérissent la plupart des femmes atteintes, à cet âge, par la maladie. Elle était frêle autant que les feuilles des arbres en automne. Les rayons du ciel la faisaient resplendir comme ces feuilles que le soleil traverse et dore. Ce fut une mort digne de sa vie, une mort toute chrétienne. N'est-ce pas dire sublime?

Au mois d'octobre 1820 éclatèrent particulièrement ses vertus, sa patience d'ange et son amour pour sa fille; elle s'éteignit sans avoir laissé échapper la moindre plainte. Agneau sans tache,[1] elle allait au ciel, et ne regrettait ici bas que la douce compagne de sa froide vie, à laquelle ses derniers regards semblaient prédire mille maux. Elle tremblait de laisser cette brebis,[2] blanche comme elle, seule au milieu d'un monde égoïste qui voulait lui arracher sa toison, ses trésors.

— Mon enfant, lui dit-elle avant d'expirer, il n'y a de bonheur que dans le ciel, tu le sauras un jour.

Le lendemain de cette mort, Eugénie trouva de nouveaux motifs de s'attacher à cette maison où elle était née, où elle avait tant souffert, où sa mère venait de mourir. Elle ne pouvait contempler la croisée et la chaise à patins dans la salle sans verser des pleurs. Elle crut avoir méconnu l'âme de son vieux père en se voyant l'objet de ses soins les plus tendres: il venait lui donner le bras pour descendre au déjeuner; il la regardait d'un œil presque bon pendant des heures entières; enfin, il la couvait comme si elle eût été d'or. Le vieux tonnelier se ressemblait si peu à lui-même, il tremblait tellement devant sa fille, que Nanon et les Cruchotins, témoins de sa faiblesse, l'attribuèrent à son grand âge, et craignirent ainsi quelque affaiblissement dans ses facultés; mais, le jour où la famille prit le deuil, après le dîner, auquel fut convié maître Cruchot, qui seul connaissait le secret de son client, la conduite du bonhomme s'expliqua.

— Ma chère enfant, dit-il à Eugénie lorsque la table fut ôtée et que les portes furent soigneusement closes, te voilà héritière de ta mère, et nous avons de petites affaires à régler entre nous deux. — Pas vrai, Cruchot?

— Oui.

— Est-il donc si nécessaire de s'en occuper aujourd'hui, mon père?

— Oui, oui, fifille. Je ne pourrais pas durer dans l'incertitude où je suis. Je ne crois pas que tu veuilles me faire de la peine.

— Oh! mon père...

— Eh bien, il faut arranger tout cela ce soir.

— Que voulez-vous donc que je fasse?

— Mais, fifille, ça ne me regarde pas.[1] — Dites-lui donc, Cruchot.

— Mademoiselle, monsieur votre père ne voudrait ni partager, ni vendre ses biens, ni payer des droits énormes pour l'argent comptant qu'il peut posséder.[2] Donc, pour cela, il faudrait se dispenser de faire l'inventaire de toute la fortune qui aujourd'hui se trouve indivise entre vous et monsieur votre père...

— Cruchot, êtes-vous bien sûr de cela pour en parler ainsi devant une enfant?

— Laissez-moi dire, Grandet.

— Oui, oui, mon ami. Ni vous ni ma fille ne voulez me dépouiller. N'est-ce pas, fifille?

— Mais, monsieur Cruchot, que faut-il que je fasse? demanda Eugénie impatientée.

— Eh bien, dit le notaire, il faudrait signer cet acte par

lequel vous renonceriez à la succession de Mme votre mère, et laisseriez à votre père l'usufruit de tous les biens indivis entre vous, et dont il vous assure la nue propriété[1]...

— Je ne comprends rien à tout ce que vous me dites, répondit Eugénie; donnez-moi l'acte et montrez-moi la place où je dois signer.

Le père Grandet regardait alternativement l'acte et sa fille, sa fille et l'acte, en éprouvant de si violentes émotions, qu'il essuya quelques gouttes de sueur venues sur son front.

— Fifille, dit-il, au lieu de signer cet acte, qui coûtera gros à faire enregistrer, si tu voulais renoncer purement et simplement à la succession de ta pauvre chère mère défunte, et t'en rapporter à moi pour l'avenir,[2] j'aimerais mieux ça. Je te ferais alors tous les mois une bonne grosse rente de cent francs. Vois, tu pourrais payer autant de messes que tu voudrais à ceux pour lesquels tu en fais dire... Hein! cent francs par mois, en livres?[3]

— Je ferai tout ce qu'il vous plaira, mon père.

— Mademoiselle, dit le notaire, il est de mon devoir de vous faire observer que vous vous dépouillez...

— Eh! mon Dieu, dit-elle qu'est-ce que cela me fait?

— Tais-toi, Cruchot. — C'est dit, c'est dit, s'écria Grandet en prenant la main de sa fille et y frappant avec la sienne. Eugénie tu ne te dédiras point, tu es une honnête fille, hein?

— Oh! mon père...

Il l'embrassa avec effusion, la serra dans ses bras à l'étouffer.[4]

— Va, mon enfant, tu donnes la vie à ton père; mais tu lui rends ce qu'il t'a donné: nous sommes quittes. Voilà comment doivent se faire les affaires. La vie est une affaire. Je te bénis! Tu es une vertueuse fille, qui aime bien son papa. Fais ce que tu voudras maintenant. — A demain donc, Cruchot, dit-il en regardant le notaire épouvanté. Vous verrez à bien préparer l'acte de renonciation au greffe du tribunal.[1]

Le lendemain, vers midi, fut signée la déclaration par laquelle Eugénie accomplissait elle-même sa spoliation.

Cependant, malgré sa parole, à la fin de la première année, le vieux tonnelier n'avait pas encore donné un sou des cent francs par mois si solennellement promis à sa fille. Aussi, quand Eugénie lui en parla plaisamment, ne put-il s'empêcher de rougir; il monta vivement à son cabinet, revint, et lui présenta environ le tiers des bijoux qu'il avait pris à son neveu.

— Tiens, petite, dit-il d'un accent plein d'ironie, veux-tu ça, pour tes douze cents francs?

— Oh! mon père, vrai, me les donnez-vous?

— Je t'en rendrai autant l'année prochaine, dit-il en les lui jetant dans son tablier. Ainsi, en peu de temps, tu auras toutes *ses* breloques, ajouta-t-il en se frottant les mains, heureux de pouvoir spéculer sur le sentiment de sa fille.[2]

Néanmoins, le vieillard, quoique robuste encore, sentit la nécessité d'initier sa fille aux secrets du ménage. Pendant deux années consécutives, il lui fit ordonner en sa présence le menu de la maison, et recevoir les redevances. Il lui apprit lentement et successivement les noms, la contenance de ses clos, de ses fermes. Vers la troisième année, il l'avait si bien accoutumée à toutes ses façons d'avarice, il les avait si véritablement tournées chez elle en habitudes, qu'il lui laissa sans crainte les clefs de la dépense, et l'institua la maîtresse au logis.

Cinq ans se passèrent sans qu'aucun événement marquât dans l'existence monotone d'Eugénie[1] et de son père. Ce furent les mêmes actes constamment accomplis par la régularité chronométrique des mouvements de la vieille pendule. La profonde mélancolie de Mlle Grandet n'était un secret pour personne: mais, si chacun put en pressentir la cause, jamais un mot prononcé par elle ne justifia les soupçons que toutes les sociétés de Saumur formaient sur l'état du cœur de la riche héritière. Sa seule compagnie se composait des trois Cruchot et de quelques-uns de leurs amis qu'ils avaient insensiblement introduits au logis. Ils lui avaient appris à jouer au whist, et venaient tous les soirs faire la partie. Dans l'année 1825, son père, sentant le poids des infirmités, fut forcé de l'initier aux secrets de sa fortune territoriale, et lui disait, en cas de difficultés, de s'en rapporter à[2] Cruchot le notaire, dont la probité lui était connue. Puis, vers la fin de cette année, le bonhomme fut enfin, à l'âge de soixante-dix-neuf ans, pris par une paralysie qui fit de rapides progrès. Grandet fut condamné par M. Bergerin. En pensant qu'elle allait bientôt se trouver seule dans le monde, Eugénie se tint, pour ainsi dire, plus près de son père, et serra plus fortement ce dernier anneau d'affection. Dans sa pensée, comme dans celle de toutes les femmes aimantes, l'amour était le monde entier, et Charles n'était pas là. Elle fut sublime de soins et d'attentions pour son vieux père, dont les facultés commençaient à baisser, mais dont l'avarice se soutenait instinctivement. Aussi la mort de cet homme ne contrasta-t-elle point avec sa vie.

Dès le matin, il se faisait rouler entre la cheminée de sa chambre et la porte de son cabinet, sans doute plein d'or. Il restait là sans mouvement, mais il regardait tour

à tour avec anxiété ceux qui venaient le voir et la porte doublée de fer. Il se faisait rendre compte des moindres bruits qu'il entendait; et, au grand étonnement du notaire, il entendait le bâillement de son chien dans la cour.

Il se réveillait de sa stupeur apparente au jour et à l'heure où il fallait recevoir des fermages, faire des comptes avec les closiers, ou donner des quittances. Il agitait alors son fauteuil à roulettes jusqu'à ce qu'il se trouvât en face de la porte de son cabinet. Il le faisait ouvrir par sa fille, et veillait à ce qu'elle plaçât en secret elle-même les sacs d'argent les uns sur les autres, à ce qu'elle fermât la porte. Puis il revenait à sa place silencieusement aussitôt qu'elle lui avait rendu la précieuse clef, toujours placée dans la poche de son gilet, et qu'il tâtait de temps en temps. D'ailleurs, son vieil ami le notaire, sentant que la riche héritière épouserait nécessairement son neveu le président, si Charles Grandet ne revenait pas, redoubla de soins et d'attentions: il venait tous les jours se mettre aux ordres de Grandet, allait à son commandement à Froidfond, aux terres, aux prés, aux vignes, vendait les récoltes, et transmutait tout en or et en argent qui venait se réunir secrètement aux sacs empilés dans le cabinet. Enfin arrivèrent les jours d'agonie, pendant lesquels la forte charpente du bonhomme fut aux prises avec la destruction. Il voulut rester assis au coin de son feu, devant la porte de son cabinet. Il attirait à lui et roulait toutes les couvertures que l'on mettait sur lui, et disait à Nanon:

— Serre, serre ça, pour qu'on ne me vole pas.

Quand il pouvait ouvrir les yeux, où toute sa vie s'était réfugiée, il les tournait aussitôt vers la porte du cabinet où gisaient ses trésors, en disant à sa fille:

— Y sont-ils? y sont-ils? d'un son de voix qui dénotait une sorte de peur panique.

— Oui, mon père.

— Veille à l'or!... mets de l'or devant moi!

Eugénie lui étalait des louis sur une table, et il demeurait des heures entières les yeux attachés sur les louis, comme un enfant qui, au moment où il commence à voir, contemple stupidement le même objet; et comme à un enfant, il lui échappait un sourire pénible.

— Ça me réchauffe! disait-il quelquefois en laissant paraître sur sa figure une expression de béatitude.

Lorsque le curé de la paroisse vint l'administrer,[1] ses yeux, morts en apparence depuis quelques heures, se ranimèrent à la vue de la croix, des chandeliers, du bénitier d'argent qu'il regarda fixement, et sa loupe remua pour la dernière fois. Lorsque le prêtre lui approcha des lèvres le crucifix en vermeil pour lui faire baiser l'image du Christ, il fit un épouvantable geste pour le saisir, et ce dernier effort lui coûta la vie. Il appela Eugénie, qu'il ne voyait pas, quoiqu'elle fût agenouillée devant lui et qu'elle baignât de ses larmes une main déjà froide.

— Mon père, bénissez-moi! demanda-t-elle.

— Aie bien soin de tout! Tu me rendras compte de ça là-bas, dit-il en prouvant par cette dernière parole que le christianisme doit être la religion des avares.

* * *

Eugénie Grandet se trouva donc seule au monde dans cette maison, n'ayant que Nanon à qui elle pût jeter un regard avec la certitude d'être entendue et comprise, Nanon, le seul être qui l'aimât pour elle[2] et avec qui elle pût causer de ses chagrins. La grande Nanon était une providence pour Eugénie. Aussi ne fût-elle plus une servante, mais une humble amie. Après la mort de son père, Eugénie apprit par maître Cruchot qu'elle possédait trois cent mille livres de rente en biens-fonds[1] dans l'arrondissement de Saumur, 6 millions placés en 3 p. 100 à 60 francs, et il valait alors 77 francs;[2] plus 2 millions en or et 100,000 francs en écus, sans compter les arrérages à recevoir. L'estimation totale de ses biens allait à 17 millions.

— Où donc est mon cousin? se dit-elle.

Le jour où maître Cruchot remit à sa cliente l'état de la succession, devenue claire et liquide,[3] Eugénie resta seule avec Nanon, assises l'une et l'autre de chaque côté de la cheminée de cette salle si vide, où tout était souvenir, depuis la chaise à patins sur laquelle s'asseyait sa mère jusqu'au verre dans lequel avait bu son cousin.

— Nanon, nous sommes seules!

— Oui, mamselle; et, si je savais où il est, ce mignon, j'irais de mon pied[4] le chercher.

— Il y a la mer entre nous, dit-elle.

Pendant que la pauvre héritière pleurait ainsi en compagnie de sa vieille servante, dans cette froide et obscure maison, qui pour elle composait tout l'univers, il n'était question, de Nantes à Orléans, que des 17 millions de Mlle Grandet.

Un de ses premiers actes fut de donner 1200 francs de rente viagère[5] à Nanon, qui, possédant déjà 600 autres francs, devint un riche parti. En moins d'un mois, elle passa de l'état de fille à celui de femme,[6] sous la protection d'Antoine Cornoiller, qui fut nommé garde général des terres et propriétés de Mlle Grandet. Pour présent de noces, Eugénie lui donna trois douzaines de couverts.[7] Cornoiller, surpris d'une telle magnificence, parlait de sa maîtresse les larmes aux yeux: il se serait fait hacher pour elle. Devenue la femme de confiance[1] d'Eugénie, Mme Cornoiller eut désormais un bonheur égal pour elle à celui de posséder un mari. Elle avait enfin une dépense à ouvrir, à fermer, des provisions à donner le matin, comme faisait son défunt maître. Puis elle eut à régir deux domestiques, une cuisinière et une femme de chambre chargée de raccommoder le linge de la maison, de faire les robes de mademoiselle. Cornoiller cumula les fonctions de[2] garde et de régisseur.

Il est inutile de dire que la cuisinière et la femme de chambre choisies par Nanon étaient de véritable *perles.* Mlle Grandet eut ainsi quatre serviteurs dont le dévouement était sans bornes. Les fermiers ne s'aperçurent donc pas de la mort du bonhomme, tant il avait sévèrement établi les usages et coutumes de son administration, qui fut soigneusement continuée par M. et Mme Cornoiller.

CHAPITRE VI

AINSI VA LE MONDE

Eugénie commençait à souffrir. Pour elle, la fortune n'était ni un pouvoir ni une consolation; elle ne pouvait exister que par l'amour, par la religion, par sa foi dans l'avenir. L'amour lui expliquait l'éternité. Son cœur et l'Évangile[3] lui signalaient deux mondes à attendre. Elle se plongeait nuit et jour au sein de deux pensées infinies, qui pour elle peut-être n'en faisaient qu'une seule. Elle se retirait en elle-même, aimant et se croyant aimée. Depuis sept ans, sa passion avait tout envahi. Ses trésors n'étaient pas les millions dont les revenus s'entassaient, mais le coffret de Charles, mais les deux portraits suspendus à son lit, mais les bijoux rachetés à son père, étalés orgueilleusement sur une couche de ouate dans un tiroir du bahut; mais le dé de sa tante, duquel s'était servie sa mère, et que, tous les jours, elle prenait religieusement pour travailler à une broderie, ouvrage de Pénélope,[1] entrepris seulement pour mettre à son doigt cet or plein de souvenirs.

Il ne paraissait pas vraisemblable que Mlle Grandet voulût se marier durant son deuil. Sa piété vraie était connue. Aussi la famille Cruchot, dont la politique était sagement dirigée par le vieil abbé, se contenta-t-elle de cerner l'héritière en l'entourant des soins les plus affectueux.

Chez elle, tous les soirs, la salle se remplissait d'une société composée des plus chauds et des plus dévoués Cruchotins du pays. M. le président de Bonfons était le héros de ce petit cercle, où son esprit, sa personne, son instruction, son amabilité sans cesse étaient vantés. L'un faisait observer que, depuis sept ans, il avait beaucoup augmenté sa fortune; que Bonfons valait au moins dix mille francs de rente et se trouvait enclavé, comme tous les biens des Cruchot, dans les vastes domaines de l'héritière.

— Savez-vous, Mademoiselle, disait un habitué, que les Cruchot ont à eux quarante mille livres de rente!

— Et leurs économies, reprenait une vieille Cruchotine, Mlle de Gribeaucourt. Un monsieur de Paris est venu dernièrement offrir à M. Cruchot deux cent mille francs de son étude.[2] Il doit la vendre, s'il peut être nommé juge de paix.

— Il veut succéder à M. de Bonfons dans la présidence

du tribunal, et prend ses précautions, répondit Mme d'Orsonval; car M. le président deviendra conseiller, puis président à la cour,[1] il a trop de moyens pour ne pas arriver.

— Oui, c'est un homme bien distingué,[2] disait un autre. Ne trouvez-vous pas, mademoiselle?

Au commencement du printemps, Mme des Grassins essaya de troubler le bonheur des Cruchotins en parlant à Eugénie du marquis de Froidfond, dont la maison ruinée pouvait se relever si l'héritière voulait lui rendre sa terre par un contrat de mariage. Mme des Grassins faisait sonner haut la pairie, le titre de marquise, et, prenant le sourire de dédain d'Eugénie pour une approbation, elle allait disant que le mariage de M. le président Cruchot n'était pas aussi avancé[3] qu'on le croyait.

— Comment, Nanon, dit un soir Eugénie en se couchant, il ne m'écrira pas une fois en sept ans!...

Pendant que ces choses se passaient à Saumur, Charles faisait fortune aux Indes. Sa pacotille s'était d'abord très bien vendue. Il avait réalisé promptement une somme de six mille dollars. Le baptême de la ligne[4] lui fit perdre beaucoup de préjugés; il s'aperçut que le meilleur moyen d'arriver à la fortune était, dans les régions intertropicales aussi bien qu'en Europe, d'acheter et de vendre des hommes. Il vint donc sur les côtes d'Afrique et fit la traite des nègres, en joignant à son commerce d'hommes celui des marchandises les plus avantageuses à échanger sur les divers marchés où l'amenaient ses intérêts. Il porta dans les affaires une activité qui ne lui laissait aucun moment de libre. Il était dominé par l'idée de reparaître à Paris dans tout l'éclat d'une haute fortune, et de ressaisir une position plus brillante encore que celle d'où il était tombé. A force de rouler à travers les hommes et les pays, d'en observer les coutumes contraires, ses idées se modifièrent et il devint sceptique. Il n'eut plus de notions fixes sur le juste et l'injuste, en voyant taxer de crime dans un pays ce qui était vertu dans un autre. Au contact perpétuel des intérêts, son cœur se refroidit, se contracta, se dessécha. Le sang des Grandet ne faillit point à sa destinée, Charles devint dur, âpre à la curée.[1] Si la noble et pure figure d'Eugénie l'accompagna dans son premier voyage, comme cette image de la Vierge que mettent sur leurs vaisseaux les marins espagnols, et s'il attribua ses premiers succès à la magique influence des vœux et des prières de cette douce fille, plus tard les aventures qu'il eut en divers pays effacèrent complètement le souvenir de sa cousine, de Saumur, de la maison, du banc, du baiser pris dans le couloir. Il se souvenait seulement du petit jardin encadré de vieux murs, parce que là sa destinée hasardeuse[2] avait commencé; mais il reniait sa famille: son oncle était un vieux chien qui lui avait filouté ses bijoux; Eugénie n'occupait ni son cœur ni ses pensées, elle occupait une place dans ses affaires comme créancière d'une somme de six mille francs. Cette conduite et ces idées expliquent le silence de Charles Grandet.

Sa fortune fut rapide et brillante. En 1826 donc, il revenait à Bordeaux sur le joli brick *Marie-Caroline*, appartenant à une maison de commerce royaliste. Il possédait dix-neuf cent mille francs en trois tonneaux de poudre d'or bien cerclés, desquels il comptait tirer sept ou huit pour cent en les monnayant à Paris. Sur ce brick se trouvait également un gentilhomme ordinaire de la chambre de Sa Majesté le roi Charles X,[3] M. d'Aubrion, bon vieillard qui avait fait la folie d'épouser une femme à la mode, et dont la fortune était aux Iles.[1] Pour réparer les prodigalités de Mme d'Aubrion, il était allé réaliser ses propriétés. M. et Mme d'Aubrion, de la maison d'Aubrion de Buch, dont le dernier captal[2] mourut avant 1789, réduits à une vingtaine de mille livres de rente, avaient une fille assez laide que la mère voulait marier sans dot, sa fortune lui suffisant à peine pour vivre à Paris. C'était une entreprise dont le succès eût semblé problématique à tous les gens du monde, malgré l'habileté qu'ils prêtent aux femmes à la mode. Aussi Mme d'Aubrion elle-même désespérait-elle presque, en voyant sa fille, d'en embarrasser qui que ce fût, fût-ce même un homme ivre de noblesse.

Charles se lia beaucoup avec Mme d'Aubrion, qui voulait précisément se lier avec lui. En débarquant à Bordeaux,[3] au mois de juin 1826, M., Mme, Mlle d'Aubrion et Charles logèrent ensemble dans le même hôtel et partirent ensemble pour Paris. L'hôtel d'Aubrion était criblé d'hypothèques,[4] Charles devait le libérer. La mère avait déjà parlé du bonheur qu'elle aurait de céder son rez-de-chaussée à son gendre et à sa fille. Ne partageant pas les préjugés de M. d'Aubrion sur la noblesse, elle avait promis à Charles Grandet d'obtenir du bon Charles X une ordonnance royale qui l'autoriserait, lui Grandet, à porter le nom d'Aubrion, à en prendre les armes, et à succéder, moyennant la constitution d'un majorat de 36,000 livres de rente,[5] à d'Aubrion, dans le titre de captal de Buch et marquis d'Aubrion. En réunissant leurs fortunes, vivant en bonne intelligence, et moyennant des sinécures,[6] on pourrait réunir cent et quelques mille livres de rente à l'hôtel d'Aubrion.

— Et quand on a cent mille livres de rente, un nom,

une famille, que l'on va à la cour, car je vous ferai nommer gentilhomme de la chambre, on devient tout ce qu'on veut être, disait-elle à Charles. Ainsi vous serez, à votre choix, maître des requêtes[1] au conseil d'État, préfet, secrétaire d'ambassade, ambassadeur. Charles X aime beaucoup d'Aubrion, ils se connaissent depuis l'enfance.

Énivré d'ambition par cette femme, Charles avait caressé, pendant la traversée, toutes ces espérances, qui lui furent présentées par une main habile et sous forme de confidences versées de cœur à cœur. Croyant les affaires de son père arrangées par son oncle, il se voyait ancré tout à coup dans le faubourg Saint-Germain,[2] où tout le monde voulait alors entrer, et où, à l'ombre du nez bleu de Mlle Mathilde,[3] il reparaissait en comte d'Aubrion, comme les Dreux reparurent un jour en Brézé.[4] Ébloui par la prospérité de la Restauration,[5] qu'il avait laissée chancelante, saisi par l'éclat des idées aristocratiques, son enivrement commencé sur le vaisseau se maintint à Paris, où il résolut de tout faire pour arriver à la haute position que son égoïste belle-mère lui faisait entrevoir. Sa cousine n'était donc plus pour lui qu'un point dans l'espace de cette brillante perspective.

Des Grassins, apprenant son retour, son mariage prochain, sa fortune, le vint voir pour lui parler des 300,000 francs moyennant lesquels il pouvait acquitter les dettes de son père. Charles le reçut avec l'impertinence d'un jeune homme à la mode qui, dans les Indes, avait tué quatre hommes en différents duels. M. des Grassins était déjà venu trois fois. Charles l'écouta froidement; puis il lui répondit, sans l'avoir bien compris:

— Les affaires de mon père ne sont pas les miennes. Je vous suis obligé, Monsieur, des soins que vous avez bien voulu prendre, et dont je ne saurais profiter. Je n'ai pas ramassé presque 2 millions à la sueur de mon front pour aller les flanquer à la tête des créanciers de mon père.

— Et si monsieur votre père était, d'ici à quelques jours,[1] déclaré en faillite?

— Monsieur, d'ici à quelques jours, je me nommerai le comte d'Aubrion. Vous entendez bien que ce me sera parfaitement indifférent. D'ailleurs, vous savez mieux que moi que, quand un homme a cent mille livres de rente, son père n'a jamais fait faillite, ajouta-t-il en poussant poliment des Grassins vers la porte.

Au commencement du mois d'août de cette année, Eugénie était assise sur le petit banc de bois où son cousin lui avait juré un éternel amour, et où elle venait déjeuner quand il faisait beau. La pauvre fille se complaisait en ce moment, par la plus fraîche, la plus joyeuse matinée, à repasser dans sa mémoire les grands, les petits événements de son amour, et les catastrophes dont il avait été suivi. Le soleil éclairait le joli pan de mur tout fendillé, presque en ruine, auquel il était défendu de toucher, de par la fantasque héritière,[2] quoique Cornoiller répétât souvent à sa femme qu'on serait écrasé dessous quelque jour. En ce moment, le facteur de la poste frappa, remit une lettre à Mme Cornoiller, qui vint au jardin en criant:

— Mademoiselle, une lettre.

Elle la donna à sa maîtresse en lui disant:

— C'est-y[3] celle que vous attendez?

Ces mots retentirent aussi fortement au cœur d'Eugénie qu'ils retentirent réellement entre les murailles de la cour et du jardin.

— Paris!... C'est de lui! Il est revenu!

Eugénie pâlit, et garda intacte la lettre pendant un moment. Elle palpitait trop vivement pour pouvoir la décacheter et la lire.

La grande Nanon resta debout, les deux mains sur les hanches, et la joie semblait s'échapper comme une fumée par les crevasses de son brun visage.

— Lisez donc, mademoiselle...

— Ah! Nanon, pourquoi revient-il par Paris, quand il s'en est allé par Saumur?

— Lisez, vous le saurez.

Eugénie décacheta la lettre en tremblant. Il en tomba un mandat sur la maison DES GRASSINS ET CORRET, de Saumur. Nanon le ramassa.

«Ma chère cousine...»

— Je ne suis plus Eugénie, pensa-t-elle; et son cœur se serra.

«Vous...

— Il me disait: *tu!*

Elle se croisa les bras, n'osa plus lire la lettre, et de grosses larmes lui vinrent aux yeux.

— Est-il mort? demanda Nanon.

— Il n'écrirait pas, dit Eugénie.

Elle lut toute la lettre que voici:

«Ma chère cousine,

«Vous apprendrez, je le crois, avec plaisir, le succès de mes entreprises. Vous m'avez porté bonheur, je suis revenu riche, et j'ai suivi les conseils de mon oncle, dont la mort et celle de ma tante viennent de m'être apprises par M. des Grassins. La mort de nos parents est dans la nature,[1] et nous devons leur succéder. J'espère que vous êtes aujourd'hui consolée. Rien ne résiste au temps, je l'éprouve. Oui, ma chère cousine, malheureusement pour moi, le moment des illusions est passé. Que voulez-vous![2] En voyageant à travers de nombreux pays, j'ai réfléchi sur la vie. D'enfant que j'étais au départ, je suis devenu homme au retour. Aujourd'hui, je pense à bien des choses auxquelles je ne songeais pas autrefois. Vous êtes libre, ma cousine, et je suis libre encore; rien n'empêche, en apparence, la réalisation de nos petits projets; mais j'ai trop de loyauté dans le caractère pour vous cacher la situation de mes affaires. Je n'ai point oublié que je ne m'appartiens pas; je me suis toujours souvenu, dans mes longues traversées, du petit banc de bois...»

Eugénie se leva comme si elle eût été sur des charbons ardents, et alla s'asseoir sur une des marches de la cour.

« ... du petit banc de bois où nous nous sommes juré de nous aimer toujours; du couloir, de la salle grise, de ma chambre en mansarde,[3] et de la nuit où vous m'avez rendu, par votre délicate obligeance, mon avenir plus facile. Oui, ces souvenirs ont soutenu mon courage, et je me suis dit que vous pensiez toujours à moi comme je pensais souvent à vous, à l'heure convenue entre nous. Avez-vous bien regardé les nuages à neuf heures? Oui, n'est-ce pas? Aussi, ne veux-je pas trahir une amitié sacrée pour moi; non, je ne dois point vous tromper. Il s'agit, en ce moment, pour moi, d'une alliance qui satisfait à toutes les idées que je me suis formées sur le mariage. L'amour, dans le mariage, est une chimère. Aujourd'hui, mon expérience me dit qu'il faut obéir à toutes les lois sociales et réunir toutes les convenances voulues par le monde en se mariant. Or, déjà se trouve entre nous une différence d'âge qui, peut-être, influerait plus sur votre avenir, ma chère cousine, que sur le mien. Je ne vous parlerai ni de vos mœurs, ni de votre éducation, ni de vos habitudes, qui ne sont nullement en rapport avec la vie de Paris, et ne cadreraient sans doute point avec mes projets ultérieurs. Il entre dans mes plans de tenir un grand état de maison,[1] de recevoir beaucoup de monde, et je crois me souvenir que vous aimez une vie douce et tranquille. Non, je serai plus franc, et veux vous faire arbitre de ma situation; il vous appartient de la connaître, et vous avez le droit de la juger. Aujourd'hui, je possède quatre-vingt mille livres de rente. Cette fortune me permet de m'unir à la famille d'Aubrion, dont l'héritière, jeune personne de dix-neuf ans, m'apporte en mariage son nom, un titre, la place de gentilhomme honoraire de la chambre de Sa Majesté, et une position des plus brillantes. Je vous avouerai, ma chère cousine, que je n'aime pas le moins du monde[2] Mlle d'Aubrion; mais, par son alliance, j'assure à mes enfants une situation sociale dont un jour les avantages seront incalculables: de jour en jour, les idées monarchiques reprennent faveur. Donc, quelques années plus tard, mon fils, devenu marquis d'Aubrion, ayant un majorat de quarante mille livres de rente, pourra prendre dans l'Etat telle[3] place qu'il lui conviendra de choisir. Nous nous devons à nos enfants. Vous voyez, ma cousine, avec quelle bonne foi je vous expose l'état de mon cœur, de mes espérances et de ma fortune. Il est possible que, de votre côté, vous ayez oublié nos enfantillages après sept années d'absence; mais, moi, je n'ai oublié ni votre indulgence, ni mes paroles; je me souviens de toutes, même des plus légèrement données, et auxquelles un jeune homme moins consciencieux que je ne le suis, ayant un cœur moins jeune et moins probe, ne songerait même pas. En vous disant que je ne pense qu'à faire un mariage de convenance,[1] et que je me souviens encore de nos amours d'enfants, n'est-ce pas me mettre entièrement à votre discrétion, vous rendre maîtresse de mon sort, et vous dire que, s'il faut renoncer à mes ambitions sociales, je me contenterai volontiers de ce simple et pur bonheur duquel vous m'avez offert de si touchantes images... »

— Tan ta ta! — Tan ta ti. — Tinn ta ta. — Toûn! — Toûn ta ti. — Tinn ta ta..., etc., avait chanté Charles Grandet sur l'air de *Non più andrai*,[2] en signant:

«Votre dévoué cousin,

«CHARLES.»

— Tonnerre de Dieu! c'est y mettre des procédés,[3] se dit-il.

Puis il avait cherché le mandat, et il avait ajouté ceci:

«*P.-S.* — Je joins à ma lettre un mandat, sur la maison des Grassins, de huit mille francs à votre ordre, et payable en or, comprenant intérêts et capital de la somme que vous avez eu la bonté de me prêter. J'attends de Bordeaux une caisse où se trouvent quelques objets que vous me permettrez de vous offrir en témoignage de mon éternelle reconnaissance. Vous pouvez renvoyer par la diligence mon nécessaire à l'adresse de M. Grandet, Hôtel d'Aubrion, rue Hillerin-Bertin.»

— Par la diligence! dit Eugénie. Une chose pour laquelle j'aurais donné mille fois ma vie!

Puis elle jeta ses regards au ciel, en pensant aux dernières paroles de sa mère, qui, semblable à quelques mourants, avait projeté sur l'avenir un coup d'œil pénétrant, lucide. Se souvenant de cette mort et de cette vie prophétiques, Eugénie mesura d'un regard toute sa destinée. Elle n'avait plus qu'à déployer ses ailes, tendre au ciel,[1] et vivre en prière jusqu'au jour de sa délivrance.

— Ma mère avait raison, dit-elle en pleurant. Souffrir et mourir.

Elle vint à pas lents de son jardin dans la salle. Contre son habitude, elle ne passa point par le couloir; mais elle retrouva le souvenir de son cousin dans ce vieux salon gris, sur la cheminée duquel était toujours une certaine soucoupe dont elle se servait tous les matins à son déjeuner, ainsi que du sucrier de vieux Sèvres.

Cette matinée devait être solennelle et pleine d'événements pour elle. Nanon lui annonça le curé de la paroisse.

Ce curé, parent des Cruchot, était dans les intérêts du président de Bonfons. Depuis quelques jours, le vieil abbé l'avait déterminé à parler à Mlle Grandet, dans un sens purement religieux, de l'obligation où elle était de[2] contracter mariage. En voyant son pasteur, Eugénie crut qu'il venait chercher les mille francs qu'elle donnait mensuellement aux pauvres, et dit à Nanon de les aller chercher; mais le curé se prit à sourire.

— Aujourd'hui, mademoiselle, je viens vous parler d'une pauvre fille à laquelle toute la ville de Saumur s'intéresse, et qui, faute de charité pour elle-même, ne vit pas chrétiennement.

— Mon Dieu![3] monsieur le curé, vous me trouvez dans un moment où il m'est impossible de songer à mon prochain, je suis tout occupée de moi. Je suis bien malheureuse, je n'ai d'autre refuge que l'Église; elle a un sein assez large pour contenir toutes nos douleurs, et des sentiments[1] assez féconds pour que nous puissions y puiser sans crainte de les tarir.

— Eh bien, mademoiselle, en nous occupant de cette fille, nous nous occuperons de vous. Écoutez! si vous voulez faire votre salut, vous n'avez que deux voies à suivre: ou quitter le monde ou en suivre les lois; obéir à votre destinée terrestre ou à votre destinée céleste.

— Ah! votre voix me parle au moment où je voulais entendre une voix. Oui, Dieu vous adresse[2] ici, monsieur. Je vais dire adieu au monde et vivre pour Dieu seul dans le silence et la retraite.

— Il est nécessaire, ma fille, de longtemps réfléchir à ce violent parti. Le mariage est une vie, le voile est une mort.

— Eh bien, la mort, la mort promptement, monsieur le curé! dit-elle avec une effrayante vivacité.

— La mort? Mais vous avez de grandes obligations à remplir envers la société, mademoiselle. N'êtes-vous donc pas la mère des pauvres auxquels vous donnez des vêtements, du bois en hiver et du travail en été? Votre grande fortune est un prêt qu'il faut rendre, et vous l'avez saintement acceptée ainsi. Vous ensevelir dans un couvent, ce serait de l'égoïsme; quant à rester vieille fille,[3] vous ne le devez pas. D'abord, pourriez-vous gérer seule votre immense fortune? Vous la perdriez peut-être. Vous auriez bientôt mille procès, et vous seriez engarriée[4] en d'inextricables difficultés. Croyez votre pasteur: un époux vous est utile, vous devez conserver ce que Dieu vous a donné. Je vous parle comme à une ouaille chérie.[5] Vous aimez trop sincèrement Dieu pour ne pas faire votre salut au milieu du monde, dont vous êtes un des plus beaux ornements et auxquels vous donnez de saints exemples.

En ce moment, Mme des Grassins se fit annoncer. Elle venait amenée par la vengeance et par un grand désespoir.

— Mademoiselle..., dit-elle. — Ah! voici M. le curé... Je me tais, je venais vous parler d'affaires, et je vois que vous êtes en grande conférence.[1]

— Madame, dit le curé, je vous laisse le champ libre.

— Oh! monsieur le curé, dit Eugénie, revenez dans quelques instants, votre appui m'est en ce moment bien nécessaire.

— Oui, ma pauvre enfant, dit Mme des Grassins.

— Que voulez-vous dire? demandèrent Mlle Grandet et le curé.

— Ne sais-je pas le retour de votre cousin, son mariage avec Mlle d'Aubrion?... Une femme n'a jamais son esprit dans sa poche.[2]

Eugénie rougit et resta muette; mais elle prit le parti d'affecter à l'avenir l'impassible contenance qu'avait su prendre son père.

— Eh bien, madame, répondit-elle avec ironie, j'ai sans doute l'esprit dans ma poche, je ne comprends pas. Parlez, parlez devant M. le curé, vous savez qu'il est mon directeur.[3]

— Eh bien, mademoiselle, voici ce que des Grassins m'écrit. Lisez.

Eugénie lut la lettre suivante:

«Ma chère femme,

«Charles Grandet arrive des Indes, il est à Paris depuis un mois...»

— Un mois! se dit Eugénie en laissant tomber sa main. Après une pause, elle reprit la lettre.

«...Il m'a fallu faire antichambre[1] deux fois avant de pouvoir parler à ce futur comte d'Aubrion. Quoique tout Paris parle de son mariage, et que tous les bans soient publiés...»

— Il m'écrivait donc au moment où...? se dit Eugénie.

Elle n'acheva pas; mais, pour ne pas être exprimé, son mépris n'en fut pas moins complet.

«...Ce mariage est loin de se faire; le marquis d'Aubrion ne donnera pas sa fille au fils d'un banqueroutier. Je suis venu lui faire part des soins que, son oncle et moi, nous avons donnés aux affaires de son père, et des habiles manœuvres par lesquelles nous avons su faire tenir les créanciers tranquilles jusqu'aujourd'hui. Ce petit impertinent n'a-t-il pas eu le front de me répondre, à moi qui, pendant cinq ans, me suis dévoué nuit et jour à ses intérêts et à son honneur, que *les affaires de son père n'étaient pas les siennes!* Un agréé[2] serait en droit de lui demander trente à quarante mille francs d'honoraires, à un pour cent sur la somme des créances. Mais, patience, il est bien légitimement dû douze cent mille francs aux créanciers, et je vais faire déclarer son père en faillite. Je me suis embarqué dans cette affaire sur la parole de ce vieux caïman de Grandet,[3] et j'ai fait des promesses au nom de la famille. Si M. le comte d'Aubrion se soucie peu de son honneur, le mien m'intéresse fort. Aussi vais-je expliquer ma position aux créanciers. Néanmoins, j'ai trop de respect pour Mlle Eugénie, à l'alliance de laquelle, en des temps plus heureux, nous avions pensé, pour agir sans que tu lui aies parlé de cette affaire... »

Là, Eugénie rendit froidement la lettre sans l'achever.

— Je vous remercie, dit-elle à Mme des Grassins; *nous verrons cela...*

— En ce moment, vous avez toute la voix de défunt votre père, dit Mme des Grassins.

— Madame, vous avez huit mille cent francs d'or à nous compter, lui dit Nanon.

— Cela est vrai; faites-moi l'avantage[1] de venir avec moi, madame Cornoiller.

— Monsieur le curé, dit Eugénie avec un noble sang-froid que lui donna la pensée qu'elle allait exprimer, serait-ce pécher que de se marier et de ne pas vivre avec son mari ?

— Ceci est un cas de conscience[2] dont la solution m'est inconnue. Si vous voulez savoir ce qu'en pense en sa Somme *De matrimonio* le célèbre Sanchez,[3] je pourrai vous le dire demain.

Le curé partit. Mlle Grandet monta dans le cabinet de son père et y passa la journée seule, sans vouloir descendre à l'heure du dîner, malgré les instances de Nanon. Elle parut le soir, à l'heure où les habitués de son cercle arrivèrent. Jamais le salon des Grandet n'avait été aussi plein qu'il le fut pendant cette soirée. La nouvelle du retour et de la sotte trahison de Charles avait été répandue dans toute la ville. Mais, quelque attentive que fût la curiosité des visiteurs, elle ne fut point satisfaite. Eugénie, qui s'y était attendue, ne laissa percer sur son visage calme aucune des cruelles émotions qui l'agitaient. Elle sut prendre une figure riante pour répondre à ceux qui voulurent lui témoigner de l'intérêt par des regards ou des paroles mélancoliques. Elle sut enfin couvrir son malheur sous les voiles de la politesse. Vers neuf heures, les parties finissaient, et les joueurs quittaient leurs tables, se payaient et discutaient les derniers coups de whist en venant se joindre au cercle des causeurs. Au moment où l'assemblée se leva en masse pour quitter le salon, il y eut un coup de théâtre[1] qui retentit dans Saumur, de là dans l'arrondissement et dans les quatre préfectures environnantes.

— Restez, monsieur le président, dit Eugénie à M. de Bonfons en lui voyant prendre sa canne.

A cette parole, il n'y eut personne dans cette nombreuse assemblée qui ne se sentît ému. Le président pâlit et fut obligé de s'asseoir.

— Au président les millions, dit Mlle de Gribeaucourt.

— C'est clair, le président de Bonfons épouse Mlle Grandet, s'écria Mme d'Orsonval.

— Voilà le meilleur coup de la partie, dit l'abbé.

— C'est un beau *schlem*,[2] dit le notaire.

Chacun dit son mot, chacun fit son calembour, tous voyaient l'héritière montée sur ses millions, comme sur un piédestal. Le drame commencé depuis neuf ans se dénouait. Dire, en face de tout Saumur, au président de rester, n'était-ce pas annoncer qu'elle voulait faire de lui son mari? Dans les petites villes, les convenances sont si sévèrement observées, qu'une infraction de ce genre y constitue la plus solennelle des promesses.

— Monsieur le président, lui dit Eugénie d'une voix émue quand ils furent seuls, je sais ce qui vous plaît en moi. Jurez de me laisser libre pendant toute ma vie, de ne me rappeler aucun des droits que le mariage vous donnerait sur moi, et ma main est à vous. — Oh! reprit-elle en le voyant se mettre à ses genoux, je n'ai pas tout dit. Je ne dois pas vous tromper, monsieur. J'ai dans le cœur un sentiment inextinguible. L'amitié sera le seul sentiment que je puisse accorder à mon mari: je ne veux ni l'offenser, ni contrevenir aux lois de mon cœur. Mais vous ne posséderez ma main et ma fortune qu'au prix d'un immense service.

— Vous me voyez prêt à tout, dit le président.

— Voici quinze cent mille francs, monsieur le président, dit-elle en tirant de son sein une reconnaissance de cent actions de la Banque de France, partez pour Paris, non pas demain, non pas cette nuit, mais à l'instant même. Rendez-vous chez M. des Grassins, sachez-y[1] le nom de tous les créanciers de mon oncle, rassemblez-les, payez tout ce que sa succession peut devoir, capital et intérêts à cinq pour cent depuis le jour de la dette jusqu'à celui du remboursement, enfin veillez à faire faire une quittance générale et notariée, bien en forme. Vous êtes magistrat, je ne me fie qu'à vous en cette affaire. Vous êtes un homme loyal, un galant homme; je m'embarquerai sur la foi de votre parole pour traverser les dangers de la vie à l'abri de votre nom. Nous aurons l'un pour l'autre une mutuelle indulgence. Nous nous connaissons depuis si longtemps, nous sommes presque parents, vous ne voudriez pas me rendre malheureuse.

Le président tomba aux pieds de la riche héritière en palpitant de joie et d'angoisse.

— Je serai votre esclave! lui dit-il.

— Quand vous aurez la quittance, monsieur, reprit-elle en lui jetant un regard froid, vous la porterez avec tous les titres à mon cousin Grandet, et vous lui remettrez cette lettre. A votre retour, je tiendrai ma parole.

Le président comprit, lui, qu'il devait Mlle Grandet à un dépit amoureux;[1] aussi s'empressa-t-il d'exécuter ses ordres avec la plus grande promptitude, afin qu'il n'arrivât aucune réconciliation entre les deux amants.

Quand M. de Bonfons fut parti, Eugénie tomba sur son fauteuil et fondit en larmes. Tout était consommé.[2]

Le président prit la poste, et se trouvait à Paris le lendemain soir. Dans la matinée du jour qui suivit son arrivée, il alla chez des Grassins. Le magistrat convoqua les créanciers en l'étude du notaire où étaient déposés les titres, et chez lequel pas un ne faillit à l'appel.[3] Quoique ce fussent des créanciers, il faut leur rendre justice: ils furent exacts.[4] Là, le président de Bonfons, au nom de Mlle Grandet, leur paya le capital et les intérêts dus. Le payement des intérêts fut pour le commerce parisien un des événements les plus étonnants de l'époque.

Quand la quittance fut enregistrée et des Grassins payé de ses soins par le don d'une somme de cinquante mille francs que lui avait allouée Eugénie, le président se rendit à l'hôtel d'Aubrion, et y trouva Charles au moment où il rentrait dans son appartement, accablé par son beau-père. Le vieux marquis venait de lui déclarer que sa fille ne lui appartiendrait qu'autant que[5] tous les créanciers de Guillaume Grandet seraient soldés.

Le président lui remit d'abord la lettre suivante:

«Mon cousin,

«M. le président de Bonfons s'est chargé de vous remettre la quittance de toutes les sommes dues par mon oncle et celle par laquelle je reconnais les avoir reçues de vous. On m'a parlé de faillite et j'ai pensé que le fils d'un failli ne pourrait peut-être pas épouser Mlle d'Aubrion. Oui, mon cousin, vous avez bien jugé de mon esprit et de mes manières: je n'ai sans doute rien du monde, je n'en connais ni les calculs ni les mœurs, et ne saurais vous y donner les plaisirs que vous voulez y trouver. Soyez heureux, selon les conventions sociales auxquelles vous sacrifiez nos premières amours. Pour rendre votre bonheur complet, je ne puis donc plus vous offrir que l'honneur de votre père. Adieu, vous aurez toujours une fidèle amie dans votre cousine,

«EUGÉNIE G....»

Le président sourit de l'exclamation que ne put réprimer cet ambitieux au moment où il reçut l'acte authentique.

— Nous nous annoncerons réciproquement nos mariages, lui dit-il.

— Ah! vous épousez Eugénie? Eh bien, j'en suis content, c'est une bonne fille. — Mais, reprit-il, frappé tout à coup par une réflexion lumineuse, elle est donc riche?

— Elle avait, répondit le président d'un air goguenard, près de dix-neuf millions, il y a quatre jours; mais elle n'en a plus que dix-sept aujourd'hui.

Charles regarda le président d'un air hébété.

— Dix-sept... mil...

— Dix-sept millions, oui, monsieur. Nous réunissons, Mlle Grandet et moi, sept cent cinquante mille livres de rente, en nous mariant.

— Mon cher cousin, dit Charles en retrouvant un peu d'assurance, nous pourrons nous pousser l'un l'autre.[1]

— D'accord, dit le président. Voici, de plus, une petite caisse que je dois aussi ne remettre qu'à vous, ajouta-t-il en déposant sur une table le coffret dans lequel était la toilette.[1]

— Eh bien, mon cher ami, dit Mme la marquise d'Aubrion en entrant sans faire attention à Cruchot, ne prenez nul souci de[2] ce que vient de vous dire ce pauvre M. d'Aubrion, à qui la duchesse de Chaulieu avait tourné la tête. Je vous le répète, rien n'empêchera votre mariage...

— Rien, madame, répondit Charles. Les trois millions autrefois dus par mon père ont été soldés hier.

— En argent? dit-elle.

— Intégralement, intérêts et capital, et je vais faire réhabiliter sa mémoire.

— Quelle bêtise! s'écria la belle-mère. — Quel est ce monsieur? dit-elle à l'oreille de son gendre, en apercevant le Cruchot.

— Mon homme d'affaires, lui répondit-il à voix basse.

La marquise salua dédaigneusement M. de Bonfons et sortit.

— Nous nous poussons déjà, dit le président en prenant son chapeau. Adieu, mon cousin.

— Il se moque de moi, ce kakatoès de Saumur. J'ai envie de lui donner six pouces de fer dans le ventre.

Le président était parti. Trois jours après, M. de Bonfons, de retour à Saumur, publia son mariage avec Eugénie. Six mois après, il était nommé conseiller à la cour royale d'Angers. Avant de quitter Saumur, Eugénie fit fondre l'or des joyaux si longtemps précieux à son cœur, et les consacra, ainsi que les huit mille francs de son cousin, à un ostensoir[3] d'or et en fit présent à la paroisse où elle avait tant prié Dieu pour *lui!*

Elle partagea d'ailleurs son temps entre Angers et Saumur. Son mari, qui montra du dévouement dans une circonstance politique, devint président de chambre, et enfin premier président[1] au bout de quelques années. Il attendit impatiemment la réélection générale afin d'avoir un siège à la Chambre.[2] Il convoitait déjà la pairie, et alors... alors...

— Alors, le roi sera donc son cousin? disait Nanon, la grande Nanon, Mme Cornoiller, bourgeoise de Saumur.

CONCLUSION

M. le président de Bonfons (il avait enfin aboli le nom patronymique de Cruchot) ne parvint à réaliser aucune de ses idées ambitieuses. Il mourut huit jours après avoir été nommé député de Saumur.[3]

Mme de Bonfons fut veuve à trente-sept ans, riche de huit cent mille livres de rente, encore belle, mais comme une femme est belle à près de quarante ans. Son visage est blanc, reposé, calme. Sa voix est douce et recueillie, ses manières sont simples. Elle a toutes les noblesses de la douleur, la sainteté d'une personne qui n'a pas souillé son âme au contact du monde, mais aussi la raideur de la vieille fille et les habitudes mesquines que donne l'existence étroite de la province. Malgré ses huit cent mille livres de rente, elle vit comme avait vécu la pauvre Eugénie Grandet, n'allume le feu de sa chambre qu'aux jours où jadis son père lui permettait d'allumer le foyer de la salle, et l'éteint conformément au programme en vigueur dans ses jeunes années. Elle est toujours vêtue comme l'était sa mère. La maison de Saumur, maison sans soleil, sans chaleur, sans cesse ombragée, mélancolique, est l'image de sa vie. Elle accumule soigneusement ses revenus, et peut-être semblerait-elle parcimonieuse si elle ne démentait la médisance[1] par un noble emploi de sa fortune. De pieuses et charitables fondations, un hospice pour la vieillesse et des écoles chrétiennes pour les enfants, une bibliothèque publique richement dotée, témoignent chaque année contre l'avarice que lui reprochent certaines personnes. Les églises de Saumur lui doivent quelques embellissements. Mme de Bonfons que, par raillerie, on appelle *mademoiselle*, inspire généralement un religieux respect. Ce noble cœur, qui ne battait que pour les sentiments les plus tendres, devait donc être soumis aux calculs de l'intérêt humain. L'argent devait communiquer ses teintes froides à cette vie céleste, et donner de la défiance pour les sentiments à une femme qui était tout sentiment.

— Il n'y a que toi qui m'aimes, disait-elle à Nanon.

La main de cette femme panse les plaies secrètes de toutes les familles. Eugénie marche au ciel accompagnée d'un cortège de bienfaits. La grandeur de son âme amoindrit les petitesses de son éducation et les coutumes de sa vie première. Telle est l'histoire de cette femme, qui n'est pas du monde au milieu du monde;[2] qui, faite pour être magnifiquement épouse et mère, n'a ni mari, ni enfants, ni famille.

Depuis quelques jours, il est question d'un nouveau mariage pour elle. Les gens de Saumur s'occupent d'elle et de M. le marquis de Froidfond, dont la famille commence à cerner la riche veuve comme jadis avaient fait les Cruchot. Nanon et Cornoiller sont, dit-on, dans les intérêts du marquis; mais rien n'est plus faux. Ni la grande Nanon ni Cornoiller n'ont assez d'esprit pour comprendre les corruptions du monde.

NOTES

Page 1. — 1. **une branche de buis bénit,** 'a branch of boxwood blessed' in the churches and distributed to the congregation on Palm Sunday.

2. **Saumur,** chief town of the modern *département* of Maine-et-Loire (part of the ancient province of Anjou), is situated on the banks of the river Loire, some 30 miles from Angers. It has a population of about 16,000; is the centre of an extensive trade in wines and possesses a famous school for cavalry officers.

Page 2. — 1. **ni des boutiques ni des magasins,** a *boutique* is smaller and less pretentious than a *magasin;* trans. *neither shops nor stores.*

2. **ouvrouère,** *workshop;* archaic word, modern *ouvroir.*

3. **devanture . . . montre . . . vitrages,** *business front . . . show window . . . spread of glass.*

4. **pimpante de jeunesse,** *blooming with youth; pimpant* = 'spruce', 'fine'.

5. **mauvaises planches à bouteilles,** *wretched boards for bottle shelves.*

6. **Anjou,** one of the old provinces of France. During the Revolution the ancient division into provinces was abolished by the Assemblée Constituante (1789-1791) and was replaced by a division into *départements,* each *département* being subdivided into *districts,* known to-day as *arrondissements.* Anjou corresponded to the modern *départements* of Maine-et-Loire and parts of both Mayenne and Sarthe. (For another meaning of *arrondissement* see page 9, note 3.)

7. **joyeuses parties,** *merry-making.*

Page 3. — 1. **hôtels,** *mansions.*

2. **à M. Grandet,** a popular form of expression equivalent to *de M. Grandet.* Compare the correct use of *à* in *sa maison à lui, c'est à moi.*

3. **peu ou prou,** a set phrase, *for a shorter or longer time.*

4. **Père Grandet**; with this use of *Père* compare our own 'Pop' and 'Uncle'.

5. **arrondissement,** see page 2, note 6.

6. **les biens du clergé,** *the property of the Church.* Up to the time of the Revolution, the Roman Catholic Church was the first of the privileged orders. It owned vast properties. The Assemblée Constituante (1789–1791) ordered these properties sold, and devoted the proceeds of this sale to the establishment of a fund from which the salaries of the clergy should be paid.

Page 4. — 1. **louis d'or, . . . doubles louis**; whereas the *louis* is worth 20 francs (formerly 24 francs), the *double louis* is worth about 23½ francs. — **au district,** *to the office of the administration of the district* or *arrondissement;* see page 2, note 6.

2. **domaines nationaux,** *national lands, i. e.* property originally belonging to the Royalists and the Church and confiscated by the National Government.

3. **un morceau de pain,** we might say: *a song.*

4. **les ci-devant,** term applied during the Revolution to the partisans of the old régime; trans. *the Royalists.*

5. **émigrés,** the Royalists who left France during the Revolution.

6. **lot,** here *sale.*

7. **Consulat,** *Consulate,* government of the three consuls (with Bonaparte as first consul), extending from the overthrow of the Directory (1799) to the establishment of the Empire (1804).

8. **l'Empire,** *the Empire.* On May 18, 1804, Napoleon was made emperor; he abdicated on April 5, 1814.

9. **le bonnet rouge,** *the red cap,* emblem of the Revolutionists.

10. **à particule,** *with a "de" in his name,* thus suggesting the conservatism natural to men of rank.

Page 5. — 1. **Légion d'honneur,** *Legion of Honor,* a national order founded by Napoleon as a recompense for military or civil services.

2. **le plus imposé,** *the man paying the heaviest taxes.*

3. **M. des Grassins,** *Mr. des Grassins.* Note that '*des*' is part of the name.

4. **à sa convenance et secrètement,** *secretly and at his pleasure.*

5. **maître,** technical title given to a lawyer or attorney. Compare our own expression, less frequently used: 'Attorney Smith.'

Page 6. — 1. **chapons ... de rente,** *capons ... as annual dues paid in kind.* The farmers paid their rent by bringing to Grandet part of their produce. The French have an interesting expression arising from this custom. Speaking of two people they say: *Ce sont deux chapons de rente,* meaning that one is stout, the other thin. The shrewd farmer, planning neither to displease his landlord nor to rob himself, brought him one fat and one thin capon.

2. **en sus du bail,** *in addition to the rent* (lit. 'lease').

3. **truisses,** a provincial word, *stumps.*

4. **tout débité,** *already cut.*

5. **chaises à l'église,** *chairs at church,* for which two *sous* are paid, there being no pews.

6. **étamage de ses casseroles,** *tinning of his saucepans.* The interior of copper utensils used in cooking had to be renewed from time to time.

Page 7. — 1. **à embrasser, à résoudre,** *to cover, to settle.*

2. **nous verrons cela,** *we'll see about that.*

3. **marqué de petite vérole,** *pitted with smallpox.* At the time of this story, the pitted faces of those who had had smallpox were to be seen everywhere. This scourge has at last been checked, mainly through the increased use of vaccination discovered by Edward Jenner, whose investigations were first made known in 1798.

4. **n'offraient aucune sinuosité,** *were hard and straight.*

5. **basilic,** *basilisk,* a fabulous reptile, blasting with its breath or look.

6. **pleine de malice,** *was very knowing.*

Page 8. — 1. **qui lui fût ... de quelque chose** *who was ... anything to him, i. e.* in whom he took any interest. Compare page 59, line 24.

2. **nomination de ... tribunal de première instance,** *appointment as ... local court.* Each *arrondissement* has its own *tribunal de première instance,* or lower court, as distinguished from the *tribunaux d'appel,* courts of appeal.

3. **livres de rente,** *francs as annual income.*

4. **abbé,** title given to anyone wearing the dress of the clergy.

5. **dignitaire du chapitre de Saint Martin de Tours,** *dignitary of the cathedral chapter of Saint Martin's in Tours.* Tours, capital of the *département* of Indre-et-Loire is a town of 61,507 inhabitants (1906). It lies on the bank of the river Loire some 140 miles southwest of Paris in the "garden of France". Balzac was born here, his statue being one of the chief public monuments of the city. The cathedral is a building of the 12th to the 16th centuries and has still much splendid glass.

6. **Medicis . . . Pazzi.** The Medici were the powerful and enlightened 'bosses' of Florence. The extravagance of Lorenzo (1449–1492) and his use of public moneys for private purposes made him many enemies. Among these was the clan of the Pazzi, strong supporters of Pope Sixtus. After the murder of his brother Giuliano, Lorenzo de' Medici took a terrible vengeance, hanging many from the palace windows and throwing others, previously hacked to pieces, into the River Arno.

7. **faire la partie de Mme. Grandet,** *to play Mrs. Grandet's* (*customary*) *game* (of "loto").

Page 9. — 1. **Talleyrand.** Charles Maurice de Talleyrand-Périgord (1754–1834), famous French statesman and diplomatist, was a leader in the Assemblée Constituante favoring the confiscation of church property (see page 3, note 6). He supported Napoleon for a time; but later went over to the Bourbons, changing his allegiance yet once more to favor the revolution of 1830. With great tact he at all times worked successfully for his own and his country's interests.

2. **Cruchotins . . . Grassinistes,** *followers of the Cruchots . . . followers of the des Grassins.*

3. **arrondissement** (as a division of Paris), *ward.* Contrast the meaning given page 2, note 6. — **député,** member of the Chambre des Députés, the French equivalent to our House of Representatives.

4. **garde nationale,** name given by Lafayette to the citizen militia of which he was at that time the general. As colors he chose blue and red, the colors of the city of Paris, adding to these white, the color of royalty and of France.

5. **par,** *for.*

6. **un marché d'or,** *a great bargain.*

Page 10. — 1. **rentrer dans le prix des lots,** *receiving payment for the (various) sales.*

2. **eut du retentissement,** *caused a stir.*

3. **à,** see page 3, note 2.

4. **salle,** *living room,* usually 'hall.'

5. **blanc en bourre,** *plaster; bourre* is animal hair, this being used to hold the lime and sand (or clay) together.

6. **la Fontaine.** Jean de la Fontaine (1621–1695), by observing a proper balance between the different elements of the fable, the animal, the poetic and the moral, raised it to a place among the highest types of literature and is himself the greatest exponent of this type.

7. **les figures criblées de reprises,** *the outlines riddled* or *peppered with darning.*

Page 11. — 1. **était un problème,** *was problematic.*

2. **une travailleuse en bois de merisier déteint,** *a work-table of faded cherry wood.*

3. 1er, regular abbreviation for *premier,* 'first'.

4. **station d'hiver,** *winter quarters;* compare the regular expressions: *station d'été* (summer resort), *station d'hiver* (winter resort), *station balnéaire* (health resort where people go for the baths).

5. **labeur d'ouvrière,** *hireling's toil.*

6. **prendre sur,** *to encroach upon.*

Page 12. — 1. **monter son ménage,** *prepare a home for himself.*

2. **taillée en Hercule,** *fashioned like a Hercules.*

3. **forte des hanches,** *broad at the hips.*

4. **l'exploita féodalement,** *worked her like a feudal lord his serf.*

5. **faisait les buées,** *did the heavy washing.*

6. **faisait à manger à,** *prepared the food for.* Note the popular use of *faire* = 'to prepare', much used in this novel, *e. g.* page 38, note 1, and page 53, note 7.

7. **halleboteurs,** a local word meaning those who gather the small bunches of grapes left by the vintagers; trans. *grape gleaners.*

8. **armés de toutes pièces,** *armed at all points.*

Page 13. — 1. **fête** properly means the day sacred to the saint whose name a person has received at baptism; *jour de naissance* or *anniversaire* being the birthday. Nevertheless *fête* often has the meaning of *anniversaire,* and is so used at times in this book, *e. g.* line 27.

2. **élever à la brochette,** *to nurture with care;* the *brochette* is the small stick used for feeding young birds.

3. **douzain de mariage.** Balzac himself tells us in the unabridged version of this novel that the *douzain* was a gift made to the bride by her own or the bridegroom's family and composed of a dozen, twelve dozen, or twelve hundred, coins of silver or of gold.

Page 14. — 1. **vu,** *considering.*

2. **coup d'œil d'intelligence,** *an understanding look.*

3. **dite de galoche,** *commonly called 'de galoche';* that is, long and turned up: 'nutcracker'.

4. **égalité d'âme,** *equanimity.*

Page 15. — 1. **bête,** *stupid;* not 'beast'. — **comme une autre,** *like any (silly) girl.*

2. **Tiens**; study carefully the meanings of *tiens* and *tenez* as given in the vocabulary.

3. **C'te,** popular for *cette.*

4. **pisque,** popular for *puisque.*

5. **me fichant,** *falling* (popular).

6. **vous autres,** *you people (don't).* This use of *autres* is like that of *all,* in the South of the United States, *e. g. you all don't know how . . .*

7. **Faut-il vous aider?** *shall I help you?*

Page 16. — 1. **ça me connaît,** *I'm an old hand at this.*

2. **C'est-y**; in ordinary speech *il* is pronounced *y; c'est-il vous?* is popular for *est-ce vous?*

3. **fêteux,** *birthday-ites.*

4. **je suis à vous,** *I'm at your disposal; I'll be with you in a second.*

5. **je rafistole . . .,** *I'm 'fixing' . . . . Rafistoler* is a popular word for 'repair', like our erroneous 'fix'.

6. **Faites,** *go ahead.*

7. **Charbonnier est maire chez lui**; the proper form of this saying has *maître* instead of *maire* and may be translated by the English proverb: "A man's house is his castle!" Cruchot's joke is based on the fact that Grandet had at one time been mayor (*maire*) of Saumur.

8. **Ne vous gênez pas . . . comme vous y allez,** *Don't mind me . . . How you do carry on . . . .*

Page 17. — 1. **Comme ça nous pousse ça!** *Don't these things grow, though!*

2. **la répétait à satiété,** *worked it to death.*

3. **Il ôta soigneusement,** etc. The branches could be removed from each candelabrum leaving only the upright (*piédestal*) into which they were fitted. By putting a saucer (*bobèche*) on this upright it became a single candlestick holding but one candle.

4. **en faisant grimacer,** etc., *screwing up his visage as full of holes as a skimmer;* see page 7, note 3.

5. **de long en long,** more usually **de long en large,** *up and down.*

Page 18. — 1. **haussant le thorax,** *throwing out his chest.*

2. **Veux-tu bien . . . .** Note that the second persons present indicative of *vouloir* with transposed subjects often express the speaker's exasperation at having to give a command. Trans. *Will you . . . .* Compare *veux-tu te taire*, 'Will you be still'!

3. **Pardieu!** *Hang it all!*

4. **de la côte d'Adam.** Compare with this the common expressions: *Nous sommes tous de la côte d'Adam* (we are all of equal birth), and *Etre de la côte de Saint Louis* (to be of very noble stock). Trans. *born of Adam.*

5. **tenons-nous bien,** *mind we stick to it.*

6. **serait-il en marché?** *can he be dickering?*

7. **fait plaisir,** *gives pleasure.*

Page 19. — 1. **Austerlitz,** a little town of Moravia, has given its name to one of Napoleon's greatest victories (Dec. 2, 1805). Here the French with 60,000 men defeated the combined armies of Austria and Russia (90,000 men) led by their two emperors in person.

2. **une bruyère du Cap,** *heather from the cape of Good Hope.*

3. **faire son droit,** *study law.*

4. **en sus de sa pension,** *over and above his allowance.*

5. **marchandise de pacotille,** *trash. Pacotille* = (1) pack of goods which sailors were allowed to carry with them free of charge in order to sell them in the colonies; (2) goods of very inferior quality (such as the sailors would take with them).

6. **pouvait faire croire,** etc., *might give the impression of very careful workmanship.*

7. **eût illustré un acteur,** *would have made the fortune of an actor.*

Page 20. — 1. **Légion d'honneur,** see page 5, note 1.

2. **Parez-moi cette botte-là!** *Let me see you parry that thrust!*

3. **la bonne foi jouée d'une femme moqueuse,** *the affected sincerity of a scoffing woman.*

4. **Qu'est-ce que ça fait?** *What harm does that do?*

5. **faire votre partie,** see page 8, note 7.

6. **nous pouvons deux tables,** *we have two tables.* This use of *pouvoir* is provincial.

7. **faites votre loto général,** etc., *throw your loto open to all; these two children will join in.*

Page 21. — 1. **mets les tables,** *set up the tables.*

2. **Va, va ton train, damnée intrigante!** *Keep right on, you cursed intriguer!* Note the use of the familiar and, in this case, contemptuous form *ton.*

3. **votre affaire . . . bonne,** *you will have a hard time in getting a verdict.*

4. **ont beau faire,** *can try all they like.*

5. **cartons bariolés, chiffrés . . . jetons en verre bleu,** *variegated cards bearing numbers . . . counters of blue glass.* In the game of loto each player has before him a number of cards divided into squares of different colors, white and (usually) green, the white squares bearing different numbers. One of the players draws from a bag a wooden disk, calling out the number found inscribed on it; whereupon each one finding that number upon his card, covers it with a square bit of glass. The first player covering all the numbered squares in a horizontal line wins the game and takes the pool.

Page 22. — 1. **lot,** *pool.*

2. **ponté,** *pooled.*

3. **Peut-on cogner comme ça!** *Did you ever hear such knocking!*

4. **Si . . .,** *what if* . . . or *suppose* . . . .

5. **facteur des messageries,** *porter of the stagecoach company.*

6. **sacs de nuit,** *carpet bags,* corresponding to our modern suit-cases.

7. **avec monsieur,** *with this gentleman.*

Page 23. — 1. **en effet,** like our slang *sure enough,* implies that the statement just made is correct.

2. **neuffe-s-heures** (the correct form being of course *neuf heures*) is an imitation of uneducated speech which inserts an *s* by analogy with the voiced spirant in *deux, trois, six, dix,* and *onze heures.*

3. **Grand Bureau,** name given to the most important of the stagecoach companies.

4. **kilos,** shortening of kilogrammes; each *kilogramme* = about $2\frac{1}{5}$ lbs.

5. **parents,** here *relatives.*

6. **Faisons les mises,** *Let us put up the stakes, i. e.* 'ante up'.

7. **M. de Nucingen.** This is an example of the constant reappearance of the same personages throughout Balzac's novels. Sometimes they are mere accessories (as here) and sometimes principal characters. M. de Nucingen is the protagonist of La Maison Nucingen.

8. **Veux-tu te taire, grand nigaud!** *Will you be still, you big booby!* see page 18, note 2.

Page 24. — 1. **Voilà bien les femmes!** *Just like a woman!*

2. **faites,** *accustomed.*

3. **Tours,** see page 8, note 5.

Page 25. — 1. **Marquez donc,** *do mark that, i. e.* put a counter on the number 47 which is on Mme. des Grassins's cards; see page 21, note 5.

Page 26. — 1. **gilet de cachemire à châle.** Balzac speaks elsewhere of "*gilets à châle ou droits de col*" so that *à châle* modifies *gilet,* not *cachemire;* trans. *cashmere waistcoat with lapels.*

2. **phénix des cousins.** The phœnix was a fabulous bird, the only one of its kind. It lived many centuries; then was consumed by fire, only to be born anew from its own ashes. Trans. *paragon of cousins.*

3. **va falloir,** slovenly for *il va falloir.*

Page 27. — 1. **se remua . . . vers le feu,** *moved as a body and wheeling about, gathered round the fire. Quart de conversion* is a military expression.

2. **prendre place,** *and seating herself.*

3. **était à faire,** *was yet to be done.*

4. **plateau de vieux laque,** *tray of old lacquer-ware.*

5. **verre de cristal à six pans,** *hexagonal glass made of crystal* and so heavier and more transparent than if made of ordinary glass.

6. **Si . . . bougie.** For *si*, see page 22, note 4. *Bougie* is a candle made of wax, whereas *chandelle* is a candle made of any greasy substance, more especially of smelly and inexpensive tallow.

Page 28. — 1. **écu de cent sous,** *five franc piece.* Though usually meaning 'three francs', the *écu* might also be a coin of different denominations, *e. g. écu de cent sous, de six livres* (francs).

2. **de vieux sèvres,** *of old Sèvres china, i. e.* made at the celebrated porcelain works founded in the 18th century at Sèvres close to Paris.

3. **eau sucrée,** *sweetened water*, a drink much used in France, replacing our iced water in the bedroom or on the lecturer's desk.

Page 29. — 1. **survivre à la honte d'une faillite,** *to suffer the shame of bankruptcy and live.*

2. **Les banqueroutes réunies . . . Roguin,** *The failures of both my broker and Roguin.* Note that *faillite* is merely a *failure*, whatever the cause, whereas *banqueroute* = failure of a man through his own mistakes or premeditation. Later (page 60, line 4) Grandet purposely confuses the two.

3. **d'actif,** *as assets.*

Page 30. — 1. **jouissance du luxe,** *habits of luxury.*

2. **première misère,** *early penury.*

3. **pacotille.** Balzac here uses the first meaning of *pacotille* (see page 19, note 5). Charles's pack would, of course, be more elaborate than that of the sailors. By selling it, he could get a little money with which to start trading.

4. **dresser mon bilan,** *to cast my accounts.*

5. **que toutes . . . acquises,** *may all the blessings of God be upon you.*

Page 31. — 1. **Dame,** *of course.*

2. **n'ont jamais le sou,** *are always penniless.*

Page 32. — 1. **un fruit, un rien de pain sur le pouce,** *a bit of fruit, a snack of bread taken standing. Manger sur le pouce* = to eat hastily or unceremoniously without taking the time to sit down.

2. **compagnon,** *journeyman* (hired artisan working for another).

3. **le suer,** *earn it by the sweat of one's brow.*

Page 33. — 1. **second étage,** *third floor,* the *rez-de-chaussée* being the first or ground floor.

2. **s'il lui prenait fantaisie d'aller et de venir,** *if he took it into his head to leave his room.*

3. **votre serviteur,** elliptical for *je suis votre serviteur,* a regular formula for taking leave. Serving to bring a conversation to a close, it came to be used familiarly as a refusal to adopt a point of view or approve a suggestion. (Compare the development of the modern slang 'good night!') '*Nothing doing*', though far too slangy, gives the idea of the French.

4. **liais cannelée,** *fluted lias* (limestone).

5. **sergent de voltigeurs,** *light infantry sergeant.* Acting generally as skirmishers, the *voltigeurs* were light, agile men of small stature.

6. **tapis de lisière.** *Lisière* (Eng. 'list') is the edging of cloth left in an unfinished state to be cut off later when the cloth is made up. This edging cut off was used as a cheap material in the manufacture of slippers, carpets, etc. Trans. *list carpet.*

7. **lit à ciel,** *bed with a canopy* or *tester.*

8. **Ah çà!** a very usual expression of impatience much used in this book (see page 59, line 11). Trans. *Look here!*

Page 34. — 1. **ben,** slovenly for *bien.*

2. **Faut-il que,** see page 15, note 7.

3. **marins de la garde impériale,** '*horse marines*,' *i. e.* a kind of troop which does not exist.

4. **quoi que c'est,** popular for *qu'est-ce que c'est.*

5. **c'est-il,** popular for *est-ce.*

6. **devant d'autel,** *frontal,* rich stuff or embroidery hanging in front of an altar.

7. **puisque Nanon il y a,** *since Nanon it is, i. e.* since Nanon is your name.

8. **plantée sur ses pieds,** *rooted to the spot.*

9. **atour,** raiment.

Page 35. — 1. **Psch!** *Pshaw!*

2. **faisait la morte,** *played dead i. e.* 'played possum'.

Page 37. — 1. **la petite bourgeoisie,** *lower middle class.*

2. **Vénus de Milo,** the famous statue of Venus discovered in the island of Melos in 1820 and now in the Louvre Museum in Paris. Though the majority of archaeologists date it from about 100 B. C., Reinach believes it to be a masterpiece of the school of Phidias, three centuries earlier.

3. **Jupiter de Phidias,** *statue of Jupiter by Phidias.* Phidias (B. C. 496–431), the greatest of Greek sculptors, is known especially for his statues of Minerva in the Parthenon and of Jupiter (now destroyed) at Olympia.

4. **des yeux gris . . . lumière jaillissante,** *grey eyes to which the purity of her life, as it shone through them, imparted a radiant light.*

5. **plaisir,** *dissipation.*

6. **dans le lointain des lacs tranquilles,** *in calm distant lakes.*

Page 38. — 1. **fais,** see page 12, note 6.

2. **mignon, mignon, mais vraiment mignon,** *such a dear, such a dear.*

3. **chambrelouque,** popular for *robe de chambre.*

4. **curé,** *parish priest.*

5. **galette,** *galette;* a kind of little cake, flat and round

6. **Faut-il pas . . .?** *So you expect me to . . .?*

Page 39. — 1. **frippe,** a provincial word for whatever is put on bread, such as butter, jam, etc. In certain parts of the United States we use the word 'spread'.

2. **quasiment comme des filles à marier,** *just about like girls of a marriageable age;* that is, they are dainty and sparing in their eating like young girls anxious about their complexions and their figures.

3. **dépense,** *storeroom.*

4. **Ne vas-tu pas . . . à cause de mon neveu,** *So you are going to pillage the whole house for my nephew, are you?*

5. **aveint,** dialect word, *fetched.*

6. **m'en faut** = *il m'en faut.* Careless speech often omits the impersonal *il.* Compare page 26, note 3.

Page 40. — 1. **avec quoi donc qu'il,** popular for *avec quoi donc est-ce qu'il.*

2. **mêle-toi de ce qui te regarde,** *mind your own business.*

3. **est-ce pas.** Note, once for all, the colloquial omission of *ne* in *ne . . . pas.*

4. **mette** (more correctly *maie*), *bin.*

5. **par ainsi,** popular, *thus.*

6. **Quien,** dialect for *tiens.*

Page 41. — 1. **est-ce que vous ne mettrez pas . . . le pot au feu,** *will you not have . . . boiled beef.* The *pot-au-feu* is the favorite dish of the thrifty French middle classes because, in addition to the meat itself, it gives them an excellent soup made of the water and vegetables in which the meat was boiled.

2. **faudra** = *il faudra;* see page 39, note 6.

3. **ne t'en laisseront pas chômer,** *will give you all you need, chômer de,* here 'to lack'.

4. **C'est-il vrai . . .** = *Est-il vrai . . . .*

5. **de morts? . . . Qu'est-ce que les successions,** *on dead people? What is inheritance?*

6. **Où dévalez-vous donc si matin?** *Where are you running down to, so early?*

7. **vous êtes de mes amis,** *you are a friend of mine.*

Page 42. — 1. **comme quoi c'est une bêtise . . .,** popular for *que c'est,* etc., *that it is foolish . . . .*

2. **déblayer, combler, niveler,** *clearing, filling up, levelling off.*

3. **Quatre fois huit pieds,** *eight by four* is evidently the measurement. The workman goes one step further, suggesting the arithmetical problem which will give the area.

4. **cinq cents de foin** = *cinq cents bottes de foin; botte* is a definite measure of hay, straw, etc. Grandet evidently counts on getting one *botte* ('bundle') from every 19 square feet or so.

5. **mettons,** *let us say.*

6. **regain,** *aftermath* (second harvest).

7. **va pour,** *make it.*

Page 43. — 1. **se dressant sur ses ergots,** lit. 'raising himself on his spurs' (like a rooster); trans. *puffing with pride.*

2. **les pompes . . . de la fortune,** *the proud state of poverty than the splendors of wealth.*

Page 44. — 1. **les fonds** (= *les fonds publics*), *Government 'funds', stocks.*

2. **chambre des députés,** see page 9, note 3.

Page 45. — 1. **place,** *market.*

2. **déjeuner** is here *le petit déjeuner* (breakfast); a little further on we find *le second déjeuner* (lunch).

3. **manches**; separate woolen sleeves going from the wrist part way up the arm.

4. **Ah bien oui!** 'Oh yes, most certainly', is used in an ironical sense in French, to be translated in various ways according to the context. Here, Nanon having called, the inference is that she got an answer; but on the contrary, it was as though nobody were there ('*personne*'). Later on (page 53) *Ah ben oui*, the slovenly *ben* standing for *bien*, might be translated: *You bet your life I won't.* Trans. here: *No sir! not a sound.*

5. **on ne sait combien de . . .,** *Goodness only knows how few . . . .*

6. **à ses heures perdues,** *when he had nothing better to do.*

Page 46. — 1. **sabot,** *top* (whipping top).

2. **second déjeuner,** *lunch;* see page 45, note 2.

3. **assez comme cela,** *that will do.*

4. **dare dare,** popular, *good and soon.*

Page 47. — 1. **les assujettit en s'emmortaisant,** etc., *fitted them on by pushing the fingers of one hand between those of the other.* *emmortaiser* = to mortise.

2. **entente de cœur,** *sympathy.*

3. **Combien . . . maman;** *combien* is popular for *que; maman,* less formal than *mère,* is more dignified than our 'mama' and is often better translated by *mother.*

4. **Le trouves-tu bien?** *Do you think him nice?*

Page 48. — 1. **L'aimerais-tu donc déjà? . . . mal,** *Can it be that you love him already? . . . wrong.* Note this meaning of *mal.*

2. **en fit autant,** *did likewise.*

3. **Quoi que . . . mamselle,** popular for *qu'est-ce que . . . mademoiselle.*

4. **prenne,** *get.*

5. **monsieur,** *my master.*

6. **Mages,** *magi* or *wise men.* Matthew II passim.

7. **déportements,** *dissipation.*

8. **il est capable de . . .,** *he might very well . . . .*

Page 49. — 1. **vieux chef d'office,** *experienced butler* (lit. 'head of the pantry').

2. **fit main basse,** *made an onslaught.*

3. **mettre à sec,** *to exhaust the resources of.*

4. **un fruit,** see page 32, note 1.

5. **venait à,** *happened to.*

Page 50. — 1. **Sois tranquille,** *Don't worry.*

2. **châteaux en Anjou,** an expression coined by Balzac on the analogy of *châteaux en Espagne,* 'castles in Spain,' which he uses later (see page 101, note 3).

3. **j'ai si mal vécu . . . laisserai faire,** *I fared so badly on my journey that I will yield to persuasion.*

4. **montre plate,** *flat watch.* The old watches were generally heavy and clumsy like our own cheap 'turnips'. Charles's was evidently of more delicate workmanship. — **Bréguet** (Louis) a celebrated watchmaker of the time.

Page 51. — 1. **poulets à la coque.** As Charles has suggested poultry for his breakfast and Nanon has only eggs to offer him, she plays upon the regular expression *œufs à la coque* (soft boiled eggs) and offers him *chickens in the shell.*

2. **Si vous aviez du beurre, hein, . . .?** *Now if you had a little butter, eh, . . .?*

3. **mouillettes**; the French eat their soft boiled eggs by dipping strips of bread into them. These strips (*mouillettes*) are cut at table by each person as he needs them.

Page 52. — 1. **pour ainsi dire,** *so to speak.*

2. **en grande toilette,** *in evening dress.*

3. **étreignit le cœur d'Eugénie,** *went straight to the heart of Eugénie.*

4. **me fait beaucoup de tort,** *hurts me a great deal* or *puts me at a great disadvantage.*

5. **poupée . . . en plein champ,** *puppet . . . out in the open.*

Page 53. — 1. **mal,** see page 48, note 1.

2. **il y a gros d'or,** *there is a 'heap' of gold in that!*

3. **faïence à l'intérieur, bordé d'une frange . . . bouillonnant,** *lined with earthenware, with an ash-like grey edge, and in which the coffee grounds kept bubbling up to the surface and falling back again to the bottom.*

4. **boullu,** popular for *bouilli.*

5. **à la Chaptal,** according to the plan invented by Chaptal, a well-known French chemist and inventor (1756–1832).

6. **Ah ben oui,** see page 45, note 4.

7. **ferait,** see page 12, note 6.

Page 54. — 1. **Là,** *at this point.*

2. **peur panique,** *panic fear* or *panic.*

Page 55. — 1. **Goûte donc à . . .!** *Do try . . .! Goûter à* = 'to take a taste of', as against *goûter* = 'to perceive by the sense of taste'.

Page 56. — 1. **Ta, ta, ta, ta . . . bêtises . . . avec peine,** *Tut, tut . . . nonsense . . . with regret.*

2. **billets de commerce,** *notes.*

Page 57. — 1. **Et le bonhomme de faire,** a case of the so-called historic infinitive. The infinitive preceded by *de,* especially in a clause introduced by *et*, is used instead of a past definite (preterite).

2. **mnémotechnie,** lit. 'mnemonics'; trans. *trick of memory.*

3. **en aspirant une forte partie d'air,** *taking a deep breath.*

4. **chevaux de poste,** *coaching horses.*

Page 58. — 1. **glosent de cela . . .,** *scribble about it.*

2. **Qu'est-ce que cela me fait?** *What difference is that to me?*

Page 59. — 1. **Ah ça!** See page 33, note 8.

2. **embucquer.** Littré gives *emboquer*, and not *embucquer*, a technical word meaning 'to put food down the mouths of animals to fatten them'; trans. *to stuff.* — **drôle** = 'fellow', with a disparaging connotation.

3. **Songe,** *remember.*

4. **sur quatre tons chromatiques:** *chromatiques* is not to be taken too literally; trans. *on four different notes of the musical scale.*

5. **Charles . . . maille,** *Charles is nothing to us,* (compare page 8, note 1) *he has not got a red cent.*

6. **aura pleuré son soûl,** *has wept his fill.*

Page 60. — 1. **Allons, voilà tes litanies . . .** *Litanies* are a prayer addressed to God or the Virgin, calling them by all the names applied to them in Holy Writ; hence familiarly used in the sense of a long, tiring tirade. Trans. *Come now, there you go off again . . . .*

2. **sophismes,** *sophisms* (false arguments intended to deceive).

3. **faillite calculée,** *i. e. banqueroute*, see page 29, note 2.

4. **il faut,** *it takes.*

Page 61. — 1. **Mais que va devenir mon cousin Charles?** *But what will become of cousin Charles?*

2. **jusqu'à Nantes.** The point is that Nantes is only some 70 miles from Saumur. Eugénie whose knowledge of geography is nil, considers this act of her father as very generous. Nantes, capital of the *département* of Loire Inférieure, lies on the river Loire, downstream from Saumur, has a population of 128,349 (1901) and is one of the chief cities of France with important shipbuilding industries and manufactures of sugar, tobacco, etc.

3. **des neuvaines,** *novenas.* The 'novena' of the Roman Catholic Church consists of prayers said during nine consecutive days for the purpose of obtaining some special blessing or mercy. Eugénie and her mother would of course have to pay the priests for saying these prayers.

4. **Ah ça . . . des mille et des cents . . .?** *Look here!* (see page 33, note 8) . . . *money to burn . . .?*

5. **tourner autour de nos Hollandais,** *take a sniff at these Dutchmen of ours.*

Page 62. — 1. **Ça l'aura gêné.** Note the use of the future past used to show that the statement, whose verb would otherwise have been in the past definite or past indefinite tense, is an explanation offered by the speaker. Trans. *that must have made him hard up.*

2. **en resta là de,** *got no further with.*

3. **Il ne m'a tant seulement point** (popular for *pas même*) **vue, le mignon!** *He did not even see me, the dear!*

4. **pleure . . . une vraie bénédiction,** *is weeping like Magdalen at the cross: it does one good to see him; que* is a loose connective used thus only in slovenly speech.

5. **à son insu passionné,** *unconsciously filled with love.*

Page 63. — 1. **qui a de l'esprit en toute chose,** *who always uses her wits.*

2. **chassant,** *pushing back.*

3. **attachant,** *fascinating.*

Page 64. — 1. **le ménage,** *the belongings.*

2. **toilette,** *dressing-case.*

3. **échappée,** *glimpse.*

4. **je les ai tous attrapés,** *I've got ahead of them all.*

5. **bêtiser,** *to fool about.*

6. **chose,** *what's-his-name.*

7. **comptant,** *cash down.*

8. **billets,** *promissory notes.*

Page 65. — 1. **à huit** (supply *pour cent*), *at eight percent.*

2. **voui,** popular for *oui.*

3. **Mon bon ami,** not to be translated literally. In France a wife will often address her husband as *mon ami.* Trans. *my dear.*

Page 66. — 1. **faut,** see page 39, note 6.

2. **garces,** *wenches.*

Page 68. — 1. **son ignorante vie,** *her life of ignorance.*

2. **Touraine . . . Anjou . . . Poitou . . . Bretagne.** The provinces here named include the whole west central part of France, taking in all the country about Saumur and northeast up the sea-coast as far as St. Malo. They represent the modern *départements* of Indre-et-Loire, Maine-et-Loire, Vienne, Deux-Sèvres, Vendée, Loire Inférieure, Morbihan, Ille-et-Vilaine, Finistère and Côtes-du-Nord.

3. **bonasses,** *inoffensive.*

4. **ne préjuge rien . . . individuelle,** *indicates no special gentleness as peculiar to the man in question.*

Page 69. — 1. **un denier,** old French coin worth $\frac{1}{12}$ of a *sou;* trans. *a cent.*

Page 70. — 1. **à déjeuner,** *some breakfast.*

2. **amitié veloutée,** *tactful affection; veloutée,* 'velvety' *i.e.* soft, giving no discomfort or pain.

3. **région des souffrances,** *realm of pain.*

4. **ingénuité du sentiment,** *simplicity of love.*

Page 71. — 1. **sur le pouce,** see page 32, note 1.

2. **comme marée en carême,** *like fish in Lent* (season in which the Church forbids the eating of meat), that is, most opportunely.

3. **haut le pied!** *step lively;* compare our slang 'shake a leg'. Familiarly, the French say also: *haut la patte* (= 'paw').

4. **où que,** popular for *où est-ce que.*

5. **Allez, ça ira tout de même,** *don't worry, that will be all right.*

Page 72. — 1. **donne à dîner,** *has people to dinner.*

2. **mettre un couvert,** *lay the table.*

3. **dandy déchu,** *fallen dandy.*

4. **s'engager,** *to enter.*

5. **qui constituait . . . envers le vignoble,** *in which Grandet was guilty of high treason towards the vine-growing interests.*

6. **qui coûta . . . d'Alcibiade.** Alcibiades (B. C. 450–404), the celebrated Athenian politician and general, is best known in history for his fickle patriotism, his victory over the Pelopon-

nesians and Persians at Cyzicus (410), and his inordinate self-will and ambition. It is said that desirous of attracting the attention of the Athenians to himself, he once cut off the tail of a very valuable dog and turned the animal out into the streets.

Page 73. — 1. **endimanchés jusqu'aux dents,** *togged out fit to kill*, an expression made up of the usual *armé jusqu'aux dents* (armed to the teeth) and *endimanché* (dressed in one's Sunday best).

2. **Faites,** see page 16, note 6.

3. **latin,** we should say *Greek*.

4. **portefeuille,** slang for *bed*.

Page 74. — 1. **en guise de cornet,** *as an ear-trumpet*.

2. **damné,** *confounded*.

Page 75. — 1. **Cruchot neveu,** Cruchot the nephew.

2. **enfourchant,** *seizing upon*, 'bestriding'.

3. **un homme considérable,** *a man of eminence*.

4. **que** repeats *quand* above.

5. **dont il est justiciable,** *to which he is "amenable"* (*i. e.* responsible).

Page 76. — 1. **le dépôt du bilan au greffe du tribunal,** *the filing of a statement of the bankrupt's accounts at the office of the clerk of the court*.

2. **son fondé de pouvoir,** *authorized representative*.

3. **son hoirie,** *his heirs and assigns*.

Page 77. — 1. **provins,** *layers*, *i. e.* (vine) shoots fastened into the earth to strike root while still attached to the parent plant.

2. **ça se touche, ça s'escompte**; *it can be cashed, it can be discounted*.

3. **place,** see page 45, note 1.

4. **une bande lumineuse,** *a line of light*.

Page 78. — 1. **Plus d'espoir!** *No hope left* (*for me*)*!*

2. **Si . . .,** see page 22, note 4.

Page 79. — 1. **je fais peut-être mal,** *I am perhaps doing what is wrong*. Not the usual meaning of *faire mal*.

2. **en présence,** *face to face*.

3. **l'emportèrent,** *triumphed.*

4. **l'ardeur piquante,** *the thrill.*

5. **je n'ai pas . . . à moi,** *I haven't . . . to my name.*

6. **failli,** *man who has failed* (in business).

7. **Bon Dieu!** *merciful Heavens!*

8. **Aussi n'y retournerai-je point,** *so I shall not go back.* Remember the force of *aussi* introducing a sentence (see vocabulary).

Page 81. — 1. **la chiffrer au plus vrai,** *cast up its account with absolute truth.*

2. **en était restée là,** *stopped there;* compare page 62, note 2.

3. **les derniers soupirs,** *the dying breath.*

Page 82. — 1. **tirer un bon parti de,** *to turn to good account.*

2. **ci-jointe,** *appended.*

3. **qui seront susceptibles . . . pacotille,** *which I may use as a start in making up my 'pack'* (see page 30, note 3).

4. **procuration régulière,** *power-of-attorney in due form.*

5. **bête,** *animal,* in this case Charles's horse.

6. **bague d'usage que . . . testamentaire,** *customary ring which a dying man bequeaths to the executor of his will.*

7. **l'insulaire,** *the Islander,* perhaps a 'Britisher'.

Page 83. — 1. **la fameuse salamandre royale,** *the famous royal salamander.* Francis I, King of France (1515–1547), adopted as his emblem a salamander with this devise "*J'y vis et je l'éteins*", referring to the popular belief that this animal could live in the midst of fire.

2. **cannetille usée,** *worn-out gold thread.*

3. **compte oublié,** *forgotten total.*

4. **morceaux d'art . . . s'informait,** *works of art which Grandet asked about . . . .*

5. **vertus . . . cordon . . . plat . . . lettres . . . vives arêtes . . . rayées,** *merits . . . milling . . . surface . . . lettering . . . shining edges . . . scratched.*

6. **valeurs réelles** may here be translated *specie.* — **conventionnellement,** *at market prices.*

7. **deux mille écus,** *six thousand francs* (a little less than $1200). In other words, the face value of the coins was 5800

francs, but their peculiar qualities would make them bring nearly 200 francs more if sold.

8. **de perdre son trop-plein de joie . . .,** *to pour out its overflowing delight . . . .*

9. **elle était forte de . . .,** *she had the strength of . . . .*

Page 84. — 1. **économies,** *savings.*

2. **que,** *until.*

Page 85. — 1. **bonheur,** *luck.*

Page 86. — 1. **qui fit partir un double fond,** *which opened a false bottom.*

2. **Mme de Mirbel,** official portrait painter of Louis XVIII and Charles X.

3. **Eh bien, oui, n'est-ce pas? . . . avec grâce,** *well, you will, won't you . . . winningly.*

Page 87. — 1. **la reconduisait en l'éclairant,** *was seeing her back to her room, lighting the way.*

2. **des misères,** *mere nothings.*

Page 88. — 1. **seulement,** *even.*

Page 89. — 1. **de lui acheter . . . cent mille livres de rente,** *to buy for him . . .* 100,000 *francs' worth of Government bonds* (paying a yearly dividend).

2. **tout à vous,** lit. (I am) 'entirely at your service'; *you're a fine fellow.*

3. **emboisez-moi bien ces gens-là,** *'work' those fellows for me in good shape; emboiser,* a popular word, means to obtain a thing from someone by coaxing, flattery, etc.

Page 90. — 1. **Ah ben! . . . quien, je m'ennuierais!** *Not on your life! . . . why, I wouldn't know what to do with myself.* With this use of *Ah ben,* compare *Ah ben oui,* page 45, note 4. *Quien* is the popular pronunciation of *tiens.*

2. **pour** (popular), *as for.*

3. **ne sent plus rien,** *has no taste left.*

4. **comme bon leur semblerait,** *as they thought fit.*

Page 91. — 1. **jouxtant** (provincial), *adjoining.*

2. **en Loire** refers to the poplars of which Grandet spoke to

Cruchot, page 43: "*En les mettant dans la rivière, ils se nourriront aux frais du gouvernement.*"

3. **intelligence,** *understanding;* compare page 14, note 2.

4. **de grands riens,** *momentous nothings.*

5. **éclatante,** *showy.*

Page 92. — 1. **la petite criminalité,** *the naughtiness.*

2. **vivacité,** *zest.*

3. **tribunal de première instance,** see page 8, note 2.

4. **répudiation,** in law, *renunciation.*

5. **apostasie domestique,** *family apostasy.* As apostasy is an abandonment of faith and party in religious matters, so here Charles seemed to be disowning his family and to repudiate its obligations.

Page 93. — 1. **veut faire fortune,** *means to make his way.*

2. **avoir l'esprit de ma situation,** *to live and behave as befits my (new) position.*

3. **à un centime près,** *to within a centime.*

Page 94. — 1. In other words, a depreciation of the *écu de six livres* had made it worth a little less than its face value. Hence Grandet gains. He defrauds Eugénie in the same way page 107, line 18.

2. **un rouge liard,** *a red cent;* like our cent, the liard was a copper coin (worth about 2 mills) whence *rouge.*

3. **Tiens, tiens . . .,** *there, there . . . .* The idea has just struck Grandet and is in the nature of a mild surprise; see vocab. *tenir.*

4. **capitaine au long cours,** '*deep-sea*' *captain. Le voyage de long cours* is the opposite of *le cabotage* = 'coastwise sailing'.

5. **dirigé . . . sur . . . en charge pour,** *sent . . . to . . . freighted for . . . .*

Page 95. — 1. **ne mettez pas en balance ma vie et la vôtre,** *don't offset my prospects against yours.*

2. **établissement,** *marriage.*

3. **Ainsi soit-il,** *Amen,* the regular French equivalent.

4. **litanies de la Vierge dans le Paroissien,** *litany* (see page 60, note 1) or *prayer to the Virgin in the prayer book.*

5. **Quien!** see page 90, note 1.

Page 96. — 1. **bien,** *right;* compare *mal*, page 48, note 1.

2. **une croix à la Jeannette,** *a peasant woman's cross and ribbon.* This cross, hung round the neck by a narrow velvet ribbon, is the finishing touch to the picturesque costumes (the linen coiffe, the shawl, the guimpe and wide skirts) worn by the peasants of western France and has at times been adopted by ladies of fashion. *Jeannette* is a very usual name for peasant women.

Page 97. — 1. **il ne tiendra qu'à vous de . . .,** *it will lie entirely with you to . . . .*

2. **Bon voyage!** An expression frequently used ironically in French. Berthon translates: *good riddance.*

Page 98. — 1. **protêts,** *official protest for non-payment* (of obligations). — **la levée des scellés,** *lifting* or *removal of the seals.* Tapes fastened with wax seals had been used by the law to prevent any tampering with the papers of the bankrupt until such time as all persons having claims against the estate might be present. This is the usual procedure when there is a suspicion of any irregularity in a man's business.

2. **voix unanime,** *unanimous vote.*

3. **un des principaux intéressés,** *one of* (the creditors) *most heavily involved.*

4. **par l'organe de des G.,** *through des G.*

5. **passer sa créance au compte de,** etc., *transferring his claim to profit and loss.*

6. **remboursé les effets en circulation,** *bought back the outstanding notes.*

Page 99. — 1. **quelconques,** *of every description.*

2. **les créanciers bénins . . . durs,** *the easy-going creditors brought the exacting creditors round.*

Page 100. — 1. **recouvrements Grandet,** *Grandet claims* (recovery of money due them by the G. estate).

2. **un bon diable,** *a good fellow.*

3. **amené . . .,** *prevailed upon . . . .*

4. **bons,** *solvent.*

5. **prendre sur lui . . . sans le consulter,** *take it on himself to settle them without consulting him, which would amount to fraud.*

Page 101. — 1. **statu quo,** *existing state of things.* Taken into French from the Latin.

2. **bien,** *comfortable.*

3. **châteaux en Espagne,** *castles in Spain* or *castles in the air;* compare page 50, note 2.

Page 102. — 1. **pan de muraille,** *stretch of wall.*

2. **au jour de l'an,** *on New Year's Day.*

3. **messe militaire,** *mass said for the students of the Cavalry School;* see page 1, note 2.

4. **la terreur flagrante,** *the visible terror.*

Page 103. — 1. **arrangeait,** *suited.*

2. **à l'échéance de ton âge,** *as old age comes upon you. L'échéance* is the falling due of a note.

3. **de vieux ciment,** *of good solid stuff. Ciment* (cement) is often used in French as a symbol of solidity, e. g. *Cela est fait à chaux et à ciment.* Old (*vieux*) cement would be especially firm, being well set. — **Hein! pas vrai?** *Eh,* (*is it*) *not so?*

4. **nom d'un petit bonhomme . . . solidement froid,** *by jingo . . . good and cold.* Like many other languages (compare our 'Gee'! 'Gosh'!), French possesses many expletives which, being disguised, are weakened forms of swearing by the Deity. *Nom de Dieu* gives a whole series which may be increased at will *e. g.* the very fitting oath used by Grandet, page 111, *nom d'un tonneau.*

5. **paté de foies gras truffés,** *pie of fatted goose liver with truffles.*

6. **un double napoléon,** a coin worth 40 francs. See page 107, note 1.

Page 104. — 1. **concevait la rente,** *saw the possibilities of investments in government bonds.*

2. **comme au feu,** *as if to a fire.*

3. **l'eau va toujours à la rivière,** *the river ever flows to the sea.*

4. **ouin!** a peasant's ejaculation meaning *pooh!*

5. **d'argent** i. e. *sous d'argent.* A silver coin the size of a French sou (about like our quarter) would be a franc.

Page 105. — 1. **soigne** (lit. 'take care of'), here *tip.*

2. **motus!** (familiar), *mum is the word!*

3. **linottes,** 'linnets'. To the French mind, the linnet calls up an idea of light-headedness and lack of judgment. Grandet refers to Eugénie and Mme. G. Trans. *want-wits* or *guinea hens.*

4. **haut la patte,** see page 71, note 3.

5. **feras la frileuse,** *will pretend to be chilly.*

6. **bernique,** *no go! i. e.* 'nothing doing'.

Page 106. — 1. **fifille,** *girlie,* is an example of reduplication often used in French to express affection. Like *fifille* from *fille,* we find in this book *mémère* ('mother dear') and *pépère* ('daddy') from *mère* and *père.*

2. **hein,** *wont you?* see vocab.

3. **il va bien,** *he is doing well.*

4. **Le merluchon,** *the old fish,* lit. 'the hake'.

5. **crever ton coffre,** *bursting,* lit. 'bursting your chest' (=stomach).

6. **un petit brin jaunette,** *a wee bit sallow.*

Page 107. — 1. **et quarante de ce matin.** As this refers to the money which Grandet gave Eugénie, it is evident that the *napoléon* (see page 105) is worth not 20 francs as on page 61, but 40 francs. It may have either value, the lesser being more usual than the greater, which Grandet himself calls *un double napoléon.* See page 103, note 6.

2. **pépère,** see page 106, note 1.

3. **en livres,** see page 94, note 1.

4. **douzain,** see page 13, note 3.

5. **dans le gouvernement,** *in government bonds.*

6. **génovines,** sometimes *génoises,* old coins of the town of Genoa.

Page 108. — 1. **Lève donc le nez,** *do look up.*

2. **le mignon,** *the dear.* Gold has finally become for Grandet a thing of flesh and blood.

3. **en se dressant sur ses jarrets . . . à dix pas de lui,** *starting as a horse rears when he hears a cannon fired only ten paces away.*

4. **Bon saint bon Dieu!** *Great merciful Heavens!* Often this expression runs *Bon saint de bon Dieu.*

Page 110. — 1. **ce que bon me semblait,** *as I liked;* compare page 90, note 4.

2. **serpent de fille,** *snake of a girl.* Note that the English uses an indefinite article in such expressions: *ce fou de Pierre,* 'that fool of a Peter'.

Page 111. — 1. **tu auras jeté,** for tense, see page 62, note 1.

2. **nom d'un tonneau,** see page 103, note 4.

3. **fichtre,** *gosh hang it!*

4. **au moins,** *I trust.* Such is often the force of this expression.

5. **marchez!** *Go!*

6. **de la prendre en contravention à ses ordres,** *to catch her disobeying his orders.*

Page 112. — 1. **en prison,** *to prison.*

2. **qu'est devenu l'or?** see page 61, note 1.

3. **donna un tour de clef,** *turned the key.*

4. **séducteur de Charles,** see page 110, note 2.

5. **qui n'en voulait qu'à . . .,** *who was only after . . . .*

6. **du côté de la ruelle du lit,** *towards the wall. La ruelle* is the small passage between the bed and the wall.

7. **les pieds en avant,** *feet first; i. e.* dead.

Page 113. — 1. **Que diable!** *Hang it all!*

2. **à l'eau,** *into the river.*

3. **confessez votre fille, tirez-lui les vers du nez,** *make your daughter confess to you, worm her secrets out of her.* The latter expression is used familiarly meaning to obtain information by skilful questioning. Berthon, who suggests the translation here given, adds Littré's explanation: "This curious expression arises probably from the fact that by tightly squeezing the nose one can force out from the skin bits of half solid matter which have been compared to worms (*vers*)."

4. **Tudieu . . . matin,** *Great Scott, you are glib this morning!*

Page 114. — 1. **je fiche le camp,** familiar, *I'm going to clear out.*

2. **Brooouh! Pouah!** *Brooouh* represents an exasperated vibration of the lips. *Pouah* is a regular expression of disgust; *e. g.* Lignière, the toper in Cyrano de Bergerac, utters the same exclamation when the vendor offers him milk to drink.

3. **manger le bon Dieu,** a contemptuous expression meaning *to go to communion.*

4. **son air de ne pas y toucher,** *his air of guileless innocence;* 'Butter wouldn't melt in his mouth'.

5. **faire,** here popular for *dire.*

Page 115. — 1. **une question convenue,** *the regular question.*

2. **le mit . . . hors la loi,** *outlawed him.*

Page 116. — 1. **la disgrâce de son père,** *the loss of her father's favor.*

2. **en** refers to *sa mère.* Balzac not infrequently uses *en* of persons.

Page 118. — 1. **sévices tortionnaires,** law term, *unlawful cruelty.*

2. **et tant dans que sur . . .,** a piece of legal phraseology, "*both in and on . . . .*"

3. **baragouin de Palais,** *law gibberish. Palais i. e. Palais de Justice,* 'law courts'.

Page 119. — 1. **le prendre,** *approach him.*

2. **peignait,** from *peigner,* not *peindre.*

Page 120. — 1. **sedum,** *stone-crop.*

2. **mur mitoyen,** *party wall, i. e.* wall between adjoining properties.

3. **De quoi se mêle-t-on?** *What business is it of theirs?* — **Charbonnier,** etc., see page 16, note 7.

4. **ils viennent des cinq . . .,** etc., *they come as many as five . . .,* etc. Note the use of *des,* serving to emphasize the numerals.

5. **comme vous l'entendrez,** *as you see fit.*

6. **arrive qui plante,** *come what may.*

7. **allez,** *of course;* see vocab. *aller.*

Page 121. — 1. **Vous devriez . . . votre femme,** *you would have to render an account to Eugénie, since the estates of yourself and your wife are owned by you both jointly.* It is impossible in France for one of the parents to will his entire property to the other; the children must have their share. In this case, then, since Mme. G. was a joint owner in all which her husband possessed, Eugénie could call for a valuation of all her father's property, should she insist on determining immediately what was left to her by her mother's death.

2. **une licitation,** *auction sale* of property belonging to coproprietors in order to determine the possessions of each.

3. **une misère,** see page 87, note 2.

4. **Au lieu qu'en vous entendant,** *whereas by coming to a private agreement.*

Page 122. — 1. **me chantez,** *are 'getting off' to me. Chanter* is often used instead of *dire,* to imply that what has been said is absurd. *e. g. Qu'est-ce qu'il chante,* 'What nonsense is he talking'? Compare *chansons!* 'nonsense'!

2. **le Code,** *the text of the law.*

3. **Comment faire?** *What am I to do?*

4. **vous me tribouillez les entrailles,** *you make me 'sick at my stomach'. Tribouiller* is a slang word of uncertain form (Balzac uses *trifouiller* later) meaning 'to roil' or 'to stir up'.

Page 123. — 1. **Les drôles,** *the curs.*

2. **rentes,** see page 104, note 1.

3. **vas,** popular for *vais.*

4. **ton reposoir de la Fête Dieu,** *your Corpus Christi altar.* At the time of religious processions, people of wealth put up temporary altars at which the processions stop.

5. **à toutes jambes,** *as fast as his legs would carry him.*

Page 124. — 1. **Suivant une observation faite sur . . .,** *According to a characteristic that has been noted in . . . .*

2. **son sentiment avait affectionné . . . passion,** *his affection had become focussed on a symbol of his passion.*

3. **inventorier l'universalité de ses biens meubles et immeubles,** *to make an inventory of all his property both personal and real . . . .*

4. **ce serait à se couper la gorge,** *that would be enough to make a man cut his throat.*

5. **dernier soupir,** see page 81, note 3.

Page 125. — 1. **une bonne affaire,** *a good stroke of business.*

2. **faire sauter,** *to pry off.*

3. **marchant ainsi,** *advancing in this position.*

Page 126. — 1. **éclatante,** *piercing.*

2. **en souriant à froid,** *with an icy smile.*

3. **Allez maintenant!** *Now go ahead!*

4. **mon cher mignon monsieur,** *my dear, dear master.* For *monsieur*, see page 48, note 5.

5. **la mère,** *mother.* The peasants often insert a definite article where cultivated speech would not use it.

6. **va,** *sure;* see vocab. *aller.*

Page 127. — 1. **la mère, mémère, timère,** *mother, mother dear, motherkins.* For *mémère,* see page 106, note 1. *timère* is a reduction of the affectionate *petit mère.* The use of the masculine adjective is perhaps due to the analogy of *petit père.* On the other hand, the French not infrequently apply a masculine term of endearment to an essentially feminine being. Thus *mon petit* is often said in addressing a girl or woman and, the circumstances warranting, the woman Claudine may be called *mon vieux Claude.*

2. **Faites vos farces!** *Have a high old time!*

Page 128. — 1. **toutes et quantes,** archaic and provincial, *each and every.*

2. **me trifouille l'âme,** popular, *makes me feel 'awful'.* For *trifouille,* see page 122, note 4.

3. **les yeux de la tête, enfin!,** *an inordinate amount.*

Page 129. — 1. **Agneau sans tache,** *a lamb without blemish.*

2. **brebis,** *sheep of the flock.* Balzac has been led in this and in the preceding sentence into an unfortunate confusion of metaphor and Biblical reminiscence. He makes the spotless lamb the mother of his sheep!

Page 130. — 1. **Mais, fifille, ça ne me regarde pas,** *why, daughter dear, that's not my business.*

2. **pour l'argent comptant . . . posséder,** *on the cash he may possess.*

Page 131. — 1. **l'usufruit de tous les biens indivis . . . la nue propriété,** *the usufruct of all the property owned by you jointly . . . the substance.* 'Usufruct' is the right to enjoy the use and advantages of another's property, short of destroying its substance.

2. **t'en rapporter à moi pour l'avenir,** *leave the future to me;* see vocab. *rapporter.*

3. **en livres**; bear in mind page 94, note 1.

4. **à l'étouffer,** *till she gasped;* lit. 'enough to smother her'.

Page 132. — 1. **au greffe du tribunal,** *at the office of the clerk of the court.*

2. **spéculer sur le sentiment de sa fille,** *to make money out of his daughter's feelings.*

Page 133. — 1. **sans qu'aucun événement marquât dans l'existence monotone d'Eugénie . . .,** *with no unusual event to break the monotonous life of Eugénie . . . .*

2. **s'en rapporter à . . .,** *to consult;* see vocab. *rapporter.*

Page 135. — 1. **l'administrer,** *to give him the last sacrament.*

2. **pour elle,** *for herself.*

Page 136. — 1. **en biens-fonds,** *derived from real estate.*

2. **placés en 3 p. 100 à 60 francs et il valait alors 77 francs,** *invested in three percents bought at* 60 (par being presumably 100) *worth 77 at that time* of which Balzac is here writing.

3. **devenue claire et liquide,** *cleared of all encumbrances.*

4. **de mon pied,** *on my ten toes, myself.*

5. **rente viagère,** *life annuity.*

6. **fille . . . femme,** *maid . . . matron.*

7. **trois douzaines de couverts,** *three dozen of flat silver.* Steel knives being always used in France, except for fish and fruit, this flat silver includes only forks and spoons.

Page 137. — 1. **la femme de confiance,** *confidential housekeeper.*

2. **cumula les fonctions de. . .,** *combined the duties of; Cumuler,* 'to hold (several different positions) at the same time'.

3. **l'Evangile,** *the Gospel* or *Christian revelation.*

Page 138. — 1. **ouvrage de Pénélope.** To the Frenchman such an expression calls up first of all the idea of a piece of work that is unending. In our text Balzac refers, in addition, to Penelope's fidelity and to the fact that her work was but a means to an end. In order to give her husband Ulysses time to return, Penelope put off her numerous suitors by promising to choose one of them upon the completion of a certain bit of embroidery. She undid at night what she had done during the day.

2. **étude,** *practice.*

Page 139. — 1. **cour,** is used of a higher court, whether it be the *cour d'appel* (as here, no doubt), or another *e. g.* the *cour d'assises, cour de cassation.* — **il a trop de moyens,** *he is too talented.*

2. **un homme bien distingué,** *a very superior man.*

3. **n'était pas aussi avancé,** *had not progressed so far.*

4. **le baptême de la ligne,** *crossing the* (equatorial) *line,* used by synecdoche for experiences in another hemisphere. When a novice crossed the Equator, he was considered a full-fledged sailor and was christened as such by the old salts, disguised as Neptune and his attendants, with much mock ceremony.

Page 140. — 1. **âpre à la curée,** *intent on gain;* lit. 'eager for the game or prey'.

2. **destinée hasardeuse,** *life of adventure.*

3. **gentilhomme ordinaire de la chambre de Sa Majesté le roi Charles X,** *gentleman in ordinary of the bedchamber of his Majesty Charles X* (1824–1830).

Page 141. — 1. **Iles,** *the West Indies.*

2. **captal,** *head* or *lord;* a title unused to-day.

3. **Bordeaux,** capital of the *département* of La Gironde is the third port of France; population (1901) about 240,000. It has a fine harbor, being situated on the River Garonne and has commerce with the Atlantic and Baltic ports, with India, Africa and America.

4. **L'hôtel d'Aubrion était criblé d'hypothèques.** *The Aubrion mansion was very heavily mortgaged. Cribler* (lit. 'to sift', 'to riddle') is here used by analogy with the common expression *criblé de dettes* ('over head and ears in debt').

5. **moyennant la constitution . . . de rente,** *provided there be established as an inalienable accompaniment of the title an income of 36,000 francs a year.* In France, the "majorat" was property enjoyed by persons holding hereditary titles and attached to these titles so as to descend with them. It was abolished in 1849. No doubt it was Charles himself who, when he assumed the d'Aubrion title, was to settle this income upon it.

6. **vivant en bonne intelligence, et moyennant des sinécures,** *living on good terms and with the help of a few (lucrative) sinecures.*

Page 142. — 1. **maîtres des requêtes,** the second rank of the members of the Conseil d'État, the body whose duty it is to interpret the laws of Parliament.

2. **le faubourg Saint Germain,** the aristocratic quarter of Paris.

3. **Mlle. Mathilde** *i. e.* Mme. d'Aubrion's daughter.

4. **comme les Dreux reparurent un jour en Brézé,** *as the Dreux family one day turned up bearing the name of Brézé.* In the 17th century the Comte de Dreux added Brézé to his name in consequence of the exchange of his marquisate of La Galissonnière for the estate of Brézé. (Berthon.)

5. **la Restauration,** *the Restoration,* the period between the fall of Napoleon (1814) and the Revolution of 1830, when, with the exception of the short return of Napoleon (1815), France was ruled once more by Bourbon kings (Louis XVIII and Charles X).

Page 143. — 1. **d'ici à quelques jours,** *within a few days.*

2. **de par la fantasque héritière,** *by order of the whimsical heiress. De par* is a formal expression.

3. **c'est-y . . .,** see page 16, note 2.

Page 145. — 1. **dans la nature,** *in accordance with the laws of Nature.*

2. **Que voulez-vous!** *What can one do!*

3. **chambre en mansarde,** *attic room.*

Page 146. — 1. **tenir un grand état de maison,** *keep up a big establishment.*

2. **le moins du monde,** *in the slightest degree.*

3. **telle,** *whatever.*

Page 147. — 1. **mariage de convenance,** *marriage of convenience, i. e.* of suitability.

2. **non più andrai,** from Mozart's *Le Nozze di Figaro.*

3. **Tonnerre de Dieu! c'est y mettre des procédés,** *By thunder! I'm certainly handling her with kid gloves!*

Page 148. — 1. **tendre au ciel,** *look heavenwards.*

2. **parler à Mlle. Grandet . . . de l'obligation où elle était de,** *to impress upon Miss Grandet . . . that it was her bounden duty to . . .*

3. **Mon Dieu . . .,** *Really . . . .*

Page 149. — 1. **des sentiments,** here *comfort.*

2. **vous adresse . . .,** *sends you . . . .*

3. **vieille fille,** *old maid.*

4. **engarriée.** The literary form of this verb seems to be *angarier* (to torture). The form of the text — given both by the Ollendorff and Lévy (*définitive*) editions — may be connected however with **engarre** (a trolling line). Trans. *entangled.*

5. **une ouaille chérie,** *a beloved sheep of my flock.*

Page 150. — 1. **en grande conférence,** *in solemn consultation.*

2. **n'a jamais son esprit dans sa poche,** *is ever ready with her wits.* Compare *ne pas avoir sa langue dans sa poche,* 'to be ready of speech'.

3. **directeur,** *spiritual adviser.*

Page 151. — 1. **il m'a fallu faire antichambre,** *he kept me waiting at his door.*

2. **un agréé,** *an attorney* (to a commerce court).

3. **ce caïman de Grandet,** *that shark of a Grandet,* lit. 'alligator'. For construction, see page 110, note 2.

Page 152. — 1. **faites-moi l'avantage . . .,** *be so good as . . . .*

2. **un cas de conscience,** *a question of (religious) scruples.*

3. **en sa Somme De Matrimonio, le célèbre Sanchez,** *in his Compendium on Matrimony, the famous Sanchez;* a celebrated Spanish casuist of the 16th century. (Bergeron.)

Page 153. — 1. **un coup de théâtre,** *an unexpected and sensational development.*

2. **le meilleur coup de la partie . . . schlem,** *the best play of the game . . . slam* (a taking of all or all but one of the tricks).

Page 154. — 1. **sachez-y,** *learn there.*

Page 155. — 1. **un dépit amoureux,** *a lover's quarrel.*

2. **tout était consommé,** *it was all over.*

3. **faillit à l'appel,** *failed to appear.*

4. **exacts,** *prompt.*

5. **que sa fille ne lui appartiendrait qu'autant que . . .,** *that he would have his daughter only on the condition that . . . .*

Page 156. — 1. **nous pousser l'un l'autre,** *to help one another along.*

Page 157. — 1. **toilette,** here used for the *nécessaire* entrusted to Eugénie by Charles.

2. **ne prenez nul souci de . . .,** *don't worry about . . . .*

3. **un ostensoir,** English 'monstrance', is an open or transparent vessel of the Roman Catholic Church in which the host or consecrated bread is exposed.

Page 158. — 1. **président de chambre . . . premier président,** *judge presiding over one division of the court . . . chief justice of the court. Chambres* is the name given to the divisions or sections of a court, taking up special phases of its duties, *e. g. chambre correctionnelle* (court for the trial of misdemeanors), *chambre criminelle* (criminal court), *chambre civile* (civil court). The *premier président* presides over the whole body made up of these *chambres* combined.

2. **un siège à la chambre,** *a seat in the Chambre des Députés;* see page 9, note 3.

3. **député de Saumur,** *representative from Saumur;* see preceding note.

Page 159. — 1. **médisance.** The French distinguish carefully between *médisance* and *calomnie. Médisance* = saying of unpleasant things which are or may be true; *calomnie* = saying of things which are not true. Trans. *backbiting.*

2. **n'est pas du monde au milieu du monde,** *is in the world but not of the world.*

VOCABULARY

From this vocabulary are omitted: first, most words belonging to very elementary grammar, and, secondly, those that are so alike in the two languages as to offer no difficulty to students advanced enough to read the text.

A

à, to, at, in, from, with.
abaisser, to lower.
abandonner, to abandon.
abasourdi, dumbfounded.
abattre, to knock down.
abbaye, *f.* abbey.
abbé, *m.* abbé (*any one wearing clerical dress; also the title given to such a person*).
abîme, *m.* abyss.
abîmer, to engulf; **abimé,** engrossed.
abolir, to abolish.
abondant, abundant.
abord, *m.* approach; **d'—,** to start with.
aborder, to approach, accost.
abréger, to reduce.
abri, *m.* shelter.
abriter, to shelter.
abuser (de), to take an unjust advantage (of).
accabler, to crush.
accepter, to accept, tolerate.
accessoire, *m.* accessory.
accompagner, to accompany.
accomplir, to complete, effect, perform; **s'—,** take place.
accord, *m.* agreement; **d'—,** agreed!
accorder, to effect an agreement; grant, attribute; **s'— avec,** agree with.
accourir, to run up; come with haste.
accroître, to increase.
accueillir, to receive.
accumuler, to accumulate.
achat, *m.* purchase, buying.
acheter, to buy.
achever, to carry to a conclusion; finish.
acier, *m.* steel.
acquittement, *m.* discharge, payment.
acquitter, to settle.
acte, *m.* act; document, deed.
acteur, *m.* actor, principal.
action, *f.* action, deed; share of stock.
actionner, to bring an action against.
adhérent, *m.* adherent.
adieu, *m.* farewell.
adjudicataire, *m.* purchaser (at auction).
administration, *f.* administration, government.
administrer, to administer, manage.
admirer, to admire.
adoucir, to soften, sweeten.
adresse, *f.* skill, cleverness; address (*of a letter*).
adresser, to address, send.
affaiblir (s'), to grow weak.
affaire, *f.* affair;**—s,** business; things (*clothes*).
affamer, to starve; **affamé,** starving, hungry.
affecter, to affect, assume.
affectionner, to delight in.
affectueusement, affectionately.
affectueux, affectionate.
affront, *m.* insult.
afin de, in order to.
Afrique, *f.* Africa.
âge, *m.* age; **moyen —,** Middle Ages.

âgé, old; — **de . . .,** . . . of age.
agenouiller (s'), to kneel.
agent, *m.* agent; — **de change,** broker.
agiter, to shake, agitate; **agité,** nervous.
agneau, *m.* lamb.
agonie, *f.* agony, death struggles, death.
agrafe, *f.* hook, clasp.
agréablement, attractively.
agrément, *m.* consent.
aider, to help, aid.
aiguille, *f.* needle.
aile, *f.* wing. [over.
ailleurs, elsewhere; **d'**—, more-
aimer, to love, like.
ainsi, thus. [—, open air.
air, *m.* air; appearance; **grand**
aise, *f.* comfort, pleasure; **à son** —, at one's ease, well off.
ajouter, to add.
algébrique, algebraic.
alignement, *m.* alignment.
aligner, to lay out in a straight line.
alléger, to lighten.
aller, to go; **va, allez,** be sure of that! *See p. 120, n. 7.*
alliance, *f.* alliance, match (*marriage*); wedding ring.
allié, *m.* ally.
allier, to connect.
allouer, to grant, allow.
allumer, to light.
alors, at that time, consequently, then; — **que,** when.
altérer, to injure.
alternativement, alternately.
amabilité, *f.* pleasantness (*of manners and thought*).
amadouer, to wheedle.
amant, *m.* lover.
amasser, to amass.
ambassade, *f.* embassy.
ambassadeur, *m.* ambassador.
ambitieux, ambitious; *m.* ambitious person.
âme, *f.* soul.
amener, to bring in, bring, prevail upon.
amer, bitter.
amertume, *f.* bitterness.
ami, *m.* friend.
amitié, *f.* affection, friendship.
amoindrir, to lessen.
amonceler, to heap up.
amour, *m.* love; (*with capital A*), Cupid.
amusant, amusing, interesting.
amuser (s'), to enjoy oneself.
an, *m.* year.
ancien, old, former, one-time, *m.* older man.
ancrer, to anchor.
ange, *m.* angel.
angélique, angelic.
angevin, Angevin (*i. e. of Anjou*).
angle, *m.* angle, corner.
angoisse, *f.* anguish, emotion.
anguille, *f.* eel.
animer, to animate; **animé,** bright.
anneau, *m.* link, ring.
année, *f.* year.
anniversaire, *m.* anniversary, birthday.
annoncer, to announce, betoken.
antagoniste, *m.* antagonist.
antique, old-fashioned.
anxiété, *f.* anxiety.
août, *m.* August.
apaiser (s'), to calm down.
apercevoir, to perceive, see; **s'— de,** notice.
apostasie, *f.* apostasy (*abandonment of faith*).
apothicaire, *m.* apothecary.
apparence, *f.* appearance; likelihood; **en** —, apparently.
apparent, visible.
apparition, *f.* appearance.
appartement, *m.* rooms.
appartenir, to belong.

appeler, to call.
applaudir, to applaud; **— à,** to rejoice in.
appliquer, to apply.
apporter, to bring.
apprendre, to learn; tell of.
apprêter, to prepare.
approcher, to bring near; — *also* s'—, approach.
approfondir, to deepen.
appui, *m.* support; (window) sill.
appuyer, to give support to, lean (*tr.*); **s'— sur,** to rest *or* be based upon.
âpre, rough, harsh.
après, after; **d'—,** after the manner of.
apurer, to audit.
arabesque, *f.* arabesque (*decoration in low relief, fruits, flowers, geometric figures, etc. in fanciful arrangement*).
arbitre, *m.* arbiter, judge.
arcade, *f.* arcade, arch.
ardent, burning, ardent.
ardeur, *f.* ardor.
argent, *m.* silver; money; — **comptant,** cash.
aridité, *f.* barrenness.
arme, *f.* weapon; **—s,** arms, coat of arms.
armer, to arm.
armoire, *f.* closet, cupboard.
arracher, to tear away.
arranger, to arrange; **s'— avec,** make an arrangement with.
arrérages, *m. pl.* arrears.
arrêt, *m.* decree.
arrêter, to stop, fix.
arriéré, behind the times.
arrière-pensée, *f.* mental reservation, hidden intent.
arrière-saison, *f.* late autumn.
arrivée, *f.* arrival.
arriver, to arrive, happen.
arrogamment, arrogantly.
arrondissement, *m.* arrondissement. *See p. 2, n. 6; p. 9, n. 3.*
art, *m.* art.
artifice, *m.* artifice, ruse.
artificieux, crafty.
aspect, *m.* aspect, sight.
aspirer, to breathe in.
assemblée, *f.* assembly, assembled company, gathering.
asseoir, to seat; **s'—,** sit down.
assez, enough, a good many; rather, sufficiently.
assidûment, perseveringly.
assiettée, *f.* plateful.
associer, to associate; **s'—,** become an associate *or* partner.
assourdir, to deafen; deaden (*of sound*).
assurer, to assure, fix.
atroce, atrocious.
attacher, to fasten; **s'— à,** be set on.
attaquer, to attack.
atteindre, to attain, reach.
attendre, to wait for, expect s'— à, expect to.
attendrir, to affect, touch.
attendrissement, *m.* emotion.
attente, *f.* expectation.
attentif, attentive.
attention, *f.* attention; **faire — à,** to pay attention to, notice.
attentivement, attentively.
attester, to bear witness to.
attirer, to draw, attract.
attraper, to catch; outwit.
attrayant, attractive.
attribuer, to attribute.
attrister, to sadden.
auberge, *f.* inn.
aubergiste, *m.* innkeeper.
aucun, any; **ne . . . —,** no.
audacieusement, boldly.
au-dessus, above.
audience, *f.* hearing (*at law*).
audit, to the aforesaid.
augure, *m.* omen.
aujourd'hui, to-day.
auprès, close by, near; in *or* into the presence of.

aussi, also, so, as; (*introducing a sentence*) accordingly; — . . . **que,** as . . . as.
aussitôt, immediately; — **que,** as soon as.
autant, as much, so much; **d'— plus,** all the more; — **que,** as much as, as far as; **en faire —,** to do the same.
auteur, *m.* author.
authentique, authentic, genuine.
automne, *m.* autumn.
autoriser, to authorize.
autre, other; *m.* other.
autrefois, formerly.
autrement, otherwise.
avaler, to swallow.
avance, *f.* projection; **par —,** in anticipation.
avancer, to put forward.
avantage, *m.* advantage.
avantageusement, advantageously.
avantageux, advantageous.
avare, miserly; *m.* miser.
aveindre, to take out, fetch out.
avenir, *m.* future.
averse, *f.* shower (of rain).
aveugle, blind.
avisé, shrewd.
avoir, have; **il y a,** there is, there are; — **lieu,** take place; — **deux ans,** be two years old; — **quelque chose,** ail; not to be one's self.
avouer, to confess.
avril, *m.* April.

B

babiole, *f.* trifle, knicknack.
bagages, *m. pl.* baggage.
bagatelle, *f.* trifle.
bague, *f.* ring.
bahut, *m.* chest.
baigner, to bathe.
bail, *m.* lease, rent.
bâillement, *m.* yawning.
baiser, to kiss.
baisse, *f.* drop in market value.
baisser, to lower, go down in price, decline (*of mental faculties*).
bal, *m.* ball.
balance, *f.* scales (*for weighing*).
balayer, to sweep.
balustre, *m.* banister.
ban, *m.* ban; **—s,** marriage bans.
banal, insipid, commonplace.
banc, *m.* bench.
bande, *f.* band; wrapper (*of newspaper*).
banqueroute, *f.* failure (in business).
banqueroutier, *m.* bankrupt.
banquier, *m.* banker.
baquet, *m.* tub.
baragouiner, to jabber.
barbe, *f.* beard; **rire dans sa —,** to laugh in one's sleeve.
baromètre, *m.* barometer.
bas, low, sordid; *m.* stocking.
basse-cour, *f.* poultry yard.
bassiner, to heat with a warming pan.
bataille, *f.* battle.
bâtiment, *m.* building.
battre, to beat; **battant,** swinging (*of a door*).
bavardage, *m.* prattle, gossip.
béant, open-mouthed.
béatitude, beatitude, bliss.
beau, beautiful, handsome; **j'ai —,** it is useless for me.
beau-père, *m.* father-in-law.
bégayement, *m.* stuttering.
bégayer, to stutter.
Belge, *m.* Belgian.
belle-mère, *f.* mother-in-law.
ben, *popular and slovenly for* **bien.**
bénéfice, *m.* profit.

bénir, to bless.
bénitier, *m.* vessel for holy water.
bercer, to rock, cradle.
bernique, no go! *See p. 105, n. 6.*
besoin, *m.* need.
bête, stupid; *f.* animal; fool (*of persons*).
bêtise, *f.* foolishness, nonsense; knicknack.
beurre, *m.* butter.
beurrer, to butter.
bibliothèque, *f.* library.
biche, *f.* doe.
bien, well, indeed, very; **eh —,** well; (*exclam.*) good; *m.* goods, property.
bien-aimé, beloved.
bienfaisant, beneficial.
bienfait, *m.* benefaction, blessing.
bientôt, soon.
bijou, *m.* jewel.
bilan, *m.* balance sheet. *See p. 76, n. 1.*
billet, *m.* note.
biographie, *f.* biography.
bizarre, strange.
bizarrerie, *f.* fantasticalness; odd shapes.
blanc, white, white-skinned.
blesser, to wound.
blessure, *f.* wound.
bleu, blue.
blond, light-haired.
blottir (se), to cower.
boa, *m.* boa constrictor.
bobèche, *f.* saucer (*of a candlestick*).
bocal, *m.* jar.
boire, to drink.
bois, *m.* wood; woods.
boiser, to cover with wood, wainscot.
boîte, *f.* box; **— à ouvrage,** workbox.
bol, *m.* bowl.
bon, good, kind, worthy.
bonheur, *m.* good fortune, luck, happiness; **par —,** fortunately.
bonhomme, old codger. *See p. 103, n. 4.*
bonjour, *m.* good morning.
bonnement, simply; **tout —,** simply and solely, unceremoniously.
bonsoir, *m.* good evening, good night.
bonté, *f.* goodness, kindness.
bord, *m.* edge, side, bank.
border, to border, edge.
bordure, *f.* edging, frame.
borne, *f.* limit.
borner, to limit.
botte, *f.* boot; thrust (*in fencing*); bundle (*see p. 42, n. 4*).
bouche, *f.* mouth.
boucherie, *f.* butcher shop.
boucle, *f.* curl.
boucler, to curl (*of hair*).
bouge, *m.* gloomy retreat, hole.
bouger, to stir.
bougie, *f.* wax candle. *See p. 27, n. 6.*
bouillir, to boil.
boulanger, to make (*of bread*).
bourgeois, *m.* **–e,** *f.* person of the middle classes.
bourgeoisement, like a bourgeois.
bourrer, to stuff.
bourse, *f.* purse.
bout, *m.* end, bit (*of paper, string, etc.*); **par le —,** at the end.
bouteille, *f.* bottle.
boutique, *f.* shop.
bouton, *m.* button, stud.
boutonner, to button.
boutonnière, *f.* buttonhole.
braise, *f.* live coals.
branche, *f.* branch, arm.
bras, *m.* arm.
brave, brave, worthy.

brebis, *f.* sheep.
bredouillement, *m.* mumbling, stammering.
bref, brief; (*as a conjunction*) in short.
breloque, *f.* watch charm, trinket.
brick, *m.* brig.
bride, *f.* bridle.
brillant, brilliant, resplendent.
briser, to break.
brochet, *m.* pike (*fish*).
broder, to embroider.
broderie, *f.* embroidery.
brouette, *f.* wheelbarrow.
brouille, *f.* falling out, quarrel.
brouiller (se), to fall out, quarrel.
bruit, *m.* noise.
brûler, to burn; **se — la cervelle,** blow out one's brains.
brun, dark, brown.
brusquement, suddenly, roughly.
bruyère, *f.* heather.
bûcher, *m.* woodshed.
buffet, *m.* sideboard.
buis, *m.* box tree.
but, *m.* goal, object.

C

ça, *conversational for* **cela.**
cabinet, *m.* private room, study, sanctum.
cachemire, *m.* cashmere.
cacher, to hide.
cacheter, to seal.
cadastrer, to assess.
cadeau, *m.* gift.
cadrer, to agree; **— avec,** suit.
café, *m.* coffee.
cafetière, *f.* coffee pot, coffee maker.
caillouteux, pebbly, flinty.
caïman, *m.* crocodile.
caisse, *f.* box, chest, coffer.
calcul, *m.* calculation, reckoning.
calculer, to calculate.
calembour, *m.* pun, jest.
câliner, to fondle, cajole.
calme, calm; *m.* calm.
camarade, *m.* comrade.
campagnard, of the country.
campagne, *f.* country; **à la —,** in the country.
candélabre, *m.* branched candlestick.
candeur, *f.* candor.
canne, *f.* cane.
capable, able; **— de,** able to, likely to.
capita-l, *m. s.* principal; **—ux,** *m. pl.* capital.
capitale, *f.* capital city (*i. e. Paris*).
captal, *m.* head, lord. *See p. 141, n. 2.*
captieux, sophistical.
caractère, *m.* character, disposition; stamp.
carat, *m.* carat (*part of fine gold*).
caresser, to caress, cherish, stroke.
carré, square, thick-set.
carreau, *m.* tile floor.
carrossier, *m.* carriage maker.
cartel, *m.* clock.
carton, *m.* card. *See p. 21, n. 5.*
cas, *m.* case; **faire — de,** to hold in esteem.
casquette, *f.* cap.
casser, to break.
cassis, *m.* black-currant cordial.
cause, *f.* cause; lawsuit.
causer, to cause; chat.
causeur, *m.* talker.
cave, *f.* cellar.
céder, to yield.
célérité, *f.* speed.
céleste, heavenly.
celui, this one, that one; **— -ci ... — -là,** one ... another.

cent, hundred; **pour —,** per cent.
centime, *m.* centime ($\frac{1}{100}$ *of a franc*, $\frac{1}{5}$ *of a cent*).
cep, *m.* vine stock.
cependant, in the meanwhile, nevertheless.
cercle, *m.* circle, (barrel) hoop; gathering.
cercler, to hoop.
cérémonieux, formal.
cerner, to stalk.
certainement, certainly, really.
certes, certainly.
certitude, *f.* certainty.
cervelle, *f.* brain; **se brûler la —,** to blow out one's brains.
cesser, to cease.
chacun, each one, everyone.
chagrin, *m.* sorrow, grief.
chaîne, *f.* chain.
châle, *m.* shawl.
chaleur, *f.* heat.
chaleureux, warm, full of feeling.
chambre, *f.* room, bedroom.
champ, *m.* field.
chanceler, to totter.
chandelle, *f.* candle, light.
changer, to change (*intr.*); **— de,** to change (*tr.*).
chanter, to sing; say absurdly. *See p. 122, n. 1.*
chantier, *m.* wood-yard.
chantonner, to hum.
chanvre, *m.* hemp.
chapeau, *m.* hat.
chapon, *m.* capon.
chaque, each, every.
charbon, *m.* coal.
charbonnier, *m.* charcoal burner. *See p. 16, n. 7.*
charge, *f.* load.
charger, to load; commission; **se — de,** undertake to.
charlatanisme, *m.* charlatanry, undue pretentions.
charpente, *f.* frame.
charretier, *m.* carter, teamster.
charroyer, to cart.
chasser, to hunt, drive away, dismiss.
chaste, pure.
chat, *m.* cat.
châtain, chestnut-colored.
château, *m.* castle.
chaud, hot, fervent.
chauffage, *m.* heating; **de —,** for heating purposes.
chauffer, to heat.
chaufferette, *f.* foot warmer.
chausser, to shoe.
chef, *m.* head (*of a family*).
chemin, *m.* way, route; **grand —,** highway.
cheminée, *f.* fireplace; mantelpiece.
chêne, *m.* oak.
chercher, to look for; seek; fetch.
chérir, to cherish.
chérubin, *m.* cherub.
chevelure, *f.* hair, head of hair.
chevet, *n.* head (of a bed), bedside.
cheveu, *m.* (single) hair; **—x,** *pl.* hair.
chez, to *or* at the house of, shop of, room of; among, in (*of a person*).
chien, *m.* dog.
chiffre, *m.* figure.
chiffrer, to figure; mark with numbers.
chimère, *f.* chimera, idle fancy.
choir, to fall.
choisir, to choose.
choix, *m.* choice.
choquer, to offend.
chose, *f.* thing.
choyer, to pamper.
chrétien, Christian; *m.* Christian.
chrétiennement, as Christianity prescribes.
christianisme, *m.* Christianity.

chuchoter, to whisper.

chut! hush!

chute, *f.* fall, falling.

Cie., Co. (Company).

ciel, *m.* heaven, sky.

ciment, *m.* cement.

circonférence, *f.* circumference.

circonstance, *f.* circumstance, occasion.

ciseaux, *m. pl.* scissors.

clair, clear, (*of a look*) frank, penetrating.

claquer, to snap.

clarté, *f.* light, clearness, brilliancy.

classement, *m.* classification.

claustral, monastic.

clef, *f.* key.

clémence, *f.* clemency, leniency.

clergé, *m.* clergy, church.

climat, *m.* climate.

clin d'œil, twinkling of an eye.

cloison, *f.* partition.

cloître, *m.* cloister, monastery.

clore, to close.

clos, *p. p. of* **clore.**

clos, *m.* garden enclosed by a wall.

closerie, *f.* small farm (whose ground is enclosed by a wall).

closier, *m.* one who rents a **clos,** cottage farmer.

clou, *m.* nail.

clouer, to nail.

cœur, *m.* heart.

coffre, *m.* chest, box.

coffret, *m.* little box.

cogner, to knock.

coiffe, *f.* (peasant woman's) headdress.

coiffeur, *m.* hairdresser.

coiffure, *f.* hairdressing; headdress.

coin, *m.* corner; **le — du feu,** the fireside.

coing, *m.* quince.

col, *m.* collar.

colère, *f.* rage, anger.

colimaçon, *m.* snail.

colis, *m.* package, article (of baggage).

collerette, *f.* collar.

colonel, *m.* colonel.

coloré, full of color.

colossal, colossal, enormous.

combat, *m.* fight, struggle.

combiner, to combine.

combler, to fill up.

comédien, *m.* actor.

commandement, *m.* command.

commander, to command.

comme, like, as; since.

commencement, *m.* beginning

commencer, to begin.

commentaire, *m.* commentary, comments.

commerçant, mercantile, used for business.

commerce, *m.* intercourse, trade, business.

commercialement, commercially.

commission, *f.* errand.

commode, convenient; *f.* bureau.

commun, common.

communauté, *f.* religious organization.

communiquer, to communicate.

compagne, *f.* companion, wife.

compagnie, *f.* company; **tenir —,** to keep (*someone*) company.

compatissance, *f.* sympathy.

complaire (se), to take pleasure.

complaisamment, complacently, indulgently.

complaisance, *f.* desire to please, complacency, satisfaction; **par —,** as an accommodation, without pay.

complice, *m. or f.* accomplice.

comporter (se), to behave.

comprendre, to understand; include.

comprimer, to compress, quell.

comptable, accountable.

compte, *m.* reckoning; account; total.

compter, to calculate, count; (+*infin.*) expect.
concentrer, concentrate.
concevoir, to conceive, understand.
conclure, to conclude, close (*a bargain*).
condamné, *m.* condemned man.
condamner, to condemn.
condoléance, *f.* condolence, expression of sympathy with one in grief.
conduire, to lead, conduct.
conduite, *f.* guidance; behavior.
confesser, to confess; force a confession from.
confiance, *f.* confidence.
confidence, *f.* secret.
confier, to entrust, confide.
conformément (à), in conformity (with).
conformer (se), to conform.
conjecturer, to guess.
conjointement, jointly.
conjoncture, *f.* circumstances, crisis.
connaître, to be familiar with, know.
consacrer, to devote.
consciencieusement, conscientiously.
consciencieux, conscientious.
conseil, *m.* advice.
conseiller, *m.* councillor.
conserve, *f.* preserves.
conserver, to preserve, keep.
considérable, important (*of persons*).
considération, *f.* consideration, esteem.
consister, to consist.
consoler, console; — **de,** console for.
consommation, *f.* consumption.
consommer, to consummate.
constamment, invariably, constantly.
constater, to establish, note as being a fact.
constituer, to constitute.
consumer, to consume.
contempler, to contemplate.
contenance, *f.* extent; bearing, countenance.
contenir, to contain.
content, pleased, happy.
contentement, *m.* satisfaction.
contenter (se), to be content.
contenu, *m.* contents.
continuel, continual.
contour, *m.* outline.
contracter, to contract.
contrainte, *f.* constraint.
contraire, contrary, opposite.
contrarier, to vex, oppose the wishes of.
contrat, *m.* contract, marriage contract.
contre, against, in return for.
contrevenir, to contravene, infringe.
convaincre, to convince.
convenable, fitting, decent.
convenablement, suitably, decently.
convenance, *f.* fitness; —**s,** proprieties.
convenir, to suit, agree; **convenu,** agreed upon.
convier, to invite.
convive, *m.* table companion; —**s,** hosts and guests.
convoiter, to covet.
convoyer, to convey.
coquet, pretty *or* dainty (*as a result of art*).
coquetier, *m.* egg cup.
coquettement, daintily.
coquetterie, *f.* affectation.
corbeau, *m.* crow.
cordage, *m.* rope.
corde, *f.* rope, string.
corne, *f.* horn.
cornet, *m.* ear trumpet.
correction, *f.* reprimand.

corridor, *m.* passage.
corroborer, to strengthen.
cortège, *m.* retinue, procession.
côte, *f.* coast; rib (*of the body*).
côté, *m.* side; **à — de,** beside.
cotonneux, mealy.
cou, *m.* neck.
couche, *f.* layer.
coucher, to lay down; spend the night; **se —,** lie down, go to bed.
coude, *m.* elbow.
coudre, to sew.
couler, to flow (*intr.*), slip (*tr.*).
couleur, *f.* color.
couloir, *m.* passage.
coup, *m.* blow, shot, play (*of a game*); — **d'œil,** glance; **tout à —,** suddenly; **tout d'un —,** at one blow.
coupable, guilty.
couper, to cut, cut short.
cour, *f.* court; courtyard; **faire la —,** to pay court.
courir, to run.
cours, *m.* course.
cousin, *m.* cousin.
cousine, *f.* cousin.
coûter, to cost.
coûteux, costly.
coutume, *f.* custom; **de —,** usually.
couture, *f.* seam.
couvent, *m.* convent.
couver, to brood (*of birds*); take great care of.
couvert, *m.* prepared place (at *a breakfast or dinner table*), fork and spoon (*see p. 136, n. 7*); **mettre le —,** to set the table.
couverture, *f.* covering, blanket.
couvrir, to cover.
crainte, *f.* fear.
craintif, timid.
craquer, to crack, crunch.
crasseux, dirty.
cravate, *f.* necktie.
créance, *f.* claim.
créancier, *m.* creditor.
créancière, *f.* creditor.
créature, *f.* creature.
crédit, *m.* credit; standing.
créer, to create.
crème, *f.* cream.
crêpe, *m.* black mourning band (for sleeve or hat).
crescendo, *m.* crescendo (*Italian musical term='increasing in volume'*).
crevasse, *f.* crevice.
crier, to cry out.
crise, *f.* crisis; — **nerveuse,** nervous attack.
critiquer, to criticize.
croire, to believe; **en —,** to trust.
croisée, *f.* (casement) window.
croiser, to cross.
croix, *f.* cross.
croyance, *f.* belief.
cruche, *f.* pitcher; blockhead.
Cruchotin, *m.* supporter of the Cruchot family.
Cruchotine, *f.* *see* **Cruchotin.**
cueillir, to gather.
cuiller, *f.* spoon.
cuir, *m.* leather.
cuire, to cook.
cuisine, *f.* cooking, kitchen.
cuisinière, *f.* cook.
cuivre, *m.* copper.
curé, *m.* parish priest.
curieux, curious, rare; — **de,** eager to.
curiosité, *f.* curiosity.
cuvier, *m.* tub.

D

damas, *m.* damask.
dame, *f.* lady; *interjection,* of course!
damner, to damn, curse.

dangereux, dangerous.
dans, in; **prendre —,** to get from.
dare dare, in double quick time.
davantage, more.
de, of, from, with, by, on; (*after comparative*) than.
dé, *m.* thimble.
débarrasser, to relieve.
débattre (se), to struggle.
debout, standing.
début, *m.* beginning, start.
débuter, to make a first appearance.
décacheter, to unseal.
décamper, to decamp.
décédé, deceased.
décerner, to decree, bestow.
déchirement, *m.* tearing, laceration.
déchirer, to tear, rend.
décidément, decidedly.
décider, to decide, determine.
déconfiture, *f.* insolvency.
découvrir, to discover.
dédaigner, to disdain.
dédaigneusement, disdainfully.
dédaigneux, disdainful.
dédain, *m.* disdain.
dedans, inside.
dédire (se), to be untrue to one's word.
dédommager, to indemnify.
dédoré, with the gilt worn off.
défaillance, *f.* exhaustion.
défaire, to undo, unfasten.
défaut, *m.* defect, lack.
défendre, to defend; forbid.
défiance, *f.* distrust.
défier (se) de, to distrust.
défunt, deceased; *m.* (*also* **—e,** *f.*) deceased.
dégager, to free.
dégradation, *f.* dilapidation.
dehors, outside; **en — de,** outside of.
déjà, already.
déjeuner, to breakfast, lunch.
déjeuner, *m.* breakfast, lunch.
délicat, delicate.
délicatesse, *f.* delicacy, refinement.
délices, *f. pl.* delight.
délicieux, delicious, delightful.
délivrance, *f.* deliverance, freedom.
demain, to-morrow.
demande, *f.* request, question.
demander, to ask.
démarche, *f.* gait.
démentir, to give the lie to.
démettre, to throw out of place; **se — de,** resign from.
demeurer, to remain, dwell.
demi, half; **à —,** half.
démission, *f.* resignation.
démolir, to demolish, destroy.
démontrer, to demonstrate, prove.
démunir, to divest.
dénoter, to denote.
dénouer, to untie; **se —,** come to a close.
denrée, *f.* commodity, goods, provisions.
dent, *f.* tooth.
dénûment, *m.* destitution.
départ, *m.* departure.
département, *m.* department. *See p. 2, n. 6.*
dépasser, to extend beyond, pass beyond.
dépendre, to depend.
dépense, *f.* expense, expenditure; storeroom.
dépenser, to spend.
dépérir, to waste away.
déployer, to unfold, shake out.
déposer, to set down; file.
dépositaire, *m.* keeper.
dépot, *m.* depositing, deposit, trust.
dépouiller, to despoil.
dépourvu, unprovided.
depuis, since.

derechef, anew.
dernier, last.
dernièrement, recently.
dérobée, stolen; **à la** —, stealthily.
dérober, to steal.
déroger (à), to be contrary (to).
dès, since, as early as.
désarmer, to disarm.
désastre, *m.* disaster.
descendre, *intr.* to descend; *tr.* bring down.
désespéré, desperate.
désespoir, *m.* despair.
déshériter, disinherit.
déshonorer, to dishonor.
désigner, to designate.
désir, *m.* desire.
désirer, to desire, wish.
désobéissant, disobedient.
désormais, henceforth.
despotique, despotic.
despotisme, *m.* despotism.
dessécher, to dry up.
dessein, *m.* plan; **à** —, purposely.
dessin, *m.* drawing, design.
dessous, under; thereunder.
dessus, on, upon it (them, *etc.*); *m.* top.
destinée, *f.* destiny, fate.
destiner (à), to destine, reserve (for); intend (for).
détailler, to explain in detail.
détaler, to 'clear out.'
déteindre, to fade.
déterminer, to induce.
détour, *m.* turn, winding.
détourner, to turn away.
détruire, to destroy.
dette, *f.* debt.
deuil, *m.* mourning; **prendre le** —, to put on mourning.
deuxièmement, secondly.
dévaliser, to rob.
devancer, to precede, outstrip.
devant, before.
devenir, to become.
dévider, to wind off.
deviner, to guess.
devoir, to owe, have to, be destined to, should.
dévorateur, devouring, destructive.
dévorer, to devour.
dévouement, *m.* devotion.
dévouer, to devote.
diable, *m.* devil; demon; *interjection,* the deuce!
dieu, *m.* god; **Mon Dieu,** Heavens!
difficile, difficult; particular.
difficilement, with difficulty.
difficulté, *f.* difficulty.
digérer, to digest.
digne, worthy.
dignité, *f.* dignity.
dilater, to dilate, enlarge.
diligence, *f.* stagecoach; coach office.
diminuer, to diminish.
dîner, to dine.
dîner, *m.* dinner.
dire, to say, say to be; **pour ainsi** —, so to speak; **dit,** styled.
diriger, to direct, guide; **se** —, direct one's steps.
discourir, to discourse.
discours, *m.* speech, talk.
discuter, to discuss.
disgrâce, *f.* disgrace, misfortune, lost favor (*see p. 116, n. 1*).
dispenser (se) de, to dispense with.
disposer, to arrange; — **de,** have at one's disposal.
disputer, *intr.* to debate, argue *tr.* contest.
dissimuler, to dissemble.
dissiper, to dissipate.
distraire, to distract.
distrait, absent-minded.
distribuer, to distribute. [*n. 1.*
district, *m. See p. 2, n. 6; p. 4,*
divers, different, various.

dizaine, *f.* some ten.
dodu, plump.
doigt, *m.* finger.
domaine, *m.* estate.
dominer, to dominate, rule, overtop.
don, *m.* gift.
donc, then, so. *See p. 25, n. 1.*
donner, to give; yield (*of crops*); — **sur,** open on, overlook; — **dans,** go in for.
dont, of which, of whom, from which.
dorer, to gild.
dormeur, given to sleeping.
dormir, to sleep.
dorure, *f.* gilding.
dos, *m.* back.
dot, *f.* dowry.
doté, endowed.
doubler, to double; line.
doucement, softly, delicately.
douceur, *f.* sweetness, gentleness, comfort.
douer, to endow; **doué,** gifted.
douleur, *f.* grief, pain, suffering.
doute, *m.* doubt; **sans** —, no doubt.
douter, to doubt; — **de,** suspect; **se** —, surmise.
doux, gentle, sweet.
douzaine, *f.* dozen.
drame, *m.* drama.
drap, *m.* cloth; sheet.
dresser, to set up, draw up, prepare; **se** —, rise.
drogue, *f.* drug; trash.
droit, straight; righthand; *m.* right, duty; law; **être en** — **de,** to have the right to; **faire son** —, study law.
drôle, funny; *m.* scoundrel.
ducat, *m.* ducat.
dudit, of the aforesaid.
dûment, duly.
duper, to dupe.
dur, hard.
durcir, to harden.
durée, *f.* duration.
durer, to continue.
dureté, *f.* hardness, severity, heartless act.

E

éblouissement, *m.* dizziness.
ébouriffé, in disorder.
écaille, *f.* shell, tortoise shell.
échanger, to exchange.
échantillon, *m.* sample.
échappée, *f.* glimpse.
échapper (s'), to escape.
échauffer, to warm.
échéance, *f.* falling due (*of bills*); decline (*of age*).
échec, *m.* check.
échiquier, *m.* chessboard.
éclairer, to light up.
éclat, *m.* burst, splendor, radiance.
éclore, to open, bloom.
économies, *f. pl.* savings.
économiser, to save.
écorner, to chip.
écouler (s'), to flow out; pass (*of time*).
écouter, to listen.
écraser, to crush.
écrier (s'), to cry out.
écrire, to write.
écriture, *f.* writing.
écu, *m.* three francs (*roughly 60 cents*); — **de cent sous,** coin worth five francs; —**s** (*without a numeral*), money.
écurie, *f.* stable.
écusson, *m.* shield.
effacer, to wipe out.
effet, *m.* effect; — **de commerce** *or simply* —, a bill of exchange; **en** —, indeed, sure enough.
effleurer, to graze.
efforcer (s'), to exert oneself, strive.
effrayer, to frighten.

effroi, *m.* fright.
effroyable, fearful.
égal, equal, regular.
également, equally, likewise.
égalité, equality, social equality; evenness (*of mind*).
égard, *m.* regard; **avoir — à,** to consider; **à cet —,** with respect to this.
égayer (s'), to be merry.
église, *f.* church; **l'Eglise,** the Roman Catholic Church.
égoïsme, *m.* egoism.
égoïste, egoistic.
égorger, to cut the throat of, slay.
eh bien, well.
élancer (s'), to hasten, jump.
élever, to lift up; bring up (*of children*).
élire, to elect.
éloigner, to put at a distance; **éloigné,** distant.
embarasser, to encumber, perplex.
embarquer, to ship; **s'—,** embark.
embellir, to beautify, adorn.
embellissement, *m.* beautifying, adornment.
embrasser, to kiss, embrace.
émerveiller, to fill with wonder, amaze; **s'—,** marvel.
emmagasiner, to store.
emmener, to lead *or* take away.
émouvoir, to move, excite.
empêcher, to prevent.
empêtrer (s'), to become entangled.
empiler, to pile up.
empire, *m.* control.
empirer, to grow worse.
emplacement, *m.* site, position.
employer, to use, spend.
empocher, to pocket.
emporter, to carry off; **l'—,** triumph, get the better (**sur,** of).
empreindre, to imprint; **empreint de,** tinged with, full of.
empresser (s'), to hasten; be eager.
emprunter, to borrow.
en, in; as; as a; of it, them, *etc.*
encadrer, to frame, encompass, set off.
encaisser, to collect, receive (*rent, etc.*).
enchaîner, to chain up.
enclaver, to enclose.
encoignure, *f.* corner; corner piece (*furniture*).
encombrer, to encumber.
encore, still, again, more; **pas —,** not yet.
endolori, painful, aching.
endormir, to put to sleep, lull; **s'—,** go to sleep.
endroit, *m.* spot, place.
enfance, *f.* childhood.
enfant, *m. or f.* child.
enfantillage, *m.* childish act; child's play.
enfantin, childlike; childish.
enfariner, to sprinkle with flour.
enfermer, to shut up *or* in.
enfin, lastly, at last, after all.
enfuir (s'), to run away, flee.
engager, to invite, try to persuade.
engloutir, to swallow up, engulf.
enivrement, *m.* intoxication.
enivrer, to intoxicate.
enjolivement, *m.* adornment.
enjoliver, to make prettier, adorn.
enlever, to carry away, remove.
ennoblir, to ennoble.
ennuyer, to bore; hamper.
énorme, enormous.
enregistrer, to register.
enrichir, to enrich, adorn.
ensemble, together.
ensevelir, to bury.
entacher, to blot, sully.

entamer, to cut into, injure.
entasser, to heap up.
entendre, to hear, understand; **s'—,** come to an understanding; **s'— à,** be a judge of, be skilled in.
entêtement, *m.* stubbornness.
entier, entire, complete.
entièrement, completely.
entortiller, to wind, wrap.
entourer, to surround.
entrailles, *f. pl.* entrails, bowels.
entraîner, to drag away.
entraves, *f.* fetters; impediment.
entre-deux, *m.* space.
entrée, *f.* entrance.
entremise, *f.* mediation, agency.
entreprise, *f.* undertaking.
entrer, to go in.
entretenir, to keep up, keep in repair.
entrevoir, to catch sight of.
entrevue, *f.* interview.
entr'ouvrir, to open partly, half open.
envahir, to overrun.
envelopper, to wrap, surround, enshroud.
envers, towards.
envie, *f.* desire.
envier, to envy.
environ, approximately, **—s,** *m. pl.* surrounding country.
environner, to surround.
envisager, to face, contemplate.
envoyer, to send.
épais, thick.
épancher, to pour out; **s'—,** be poured out, flow out.
épargner, to spare, save.
éparpiller, to scatter.
épaule, *f.* shoulder.
épice, *f.* spice.
épier, to spy upon, watch.
épouser, to marry (*take to oneself as husband or wife*).
épouvantable, frightful.
épouvanter, to frighten, appall.
époux, *m.* husband.
éprouver, to test; experience.
équivaloir, to be equivalent.
escalier, *m.* staircase.
escompte, *m.* discount; **sous —,** with a discount.
escompter, to discount.
espagnol, Spanish.
espace, *m.* space.
espèce, *f.* kind.
espérer, to hope.
espionnage, *m.* spying, prying.
espoir, *m.* hope.
esprit, *m.* mind; wit; character.
essuyer, to wipe; bear.
estimer, to calculate, determine the value of; hold in esteem.
estomac, *m.* stomach.
et, and; **et . . . et,** both . . . and.
établir, to establish.
étage, *m.* story.
étagère, *f.* set of shelves, stand.
étaler, to spread out.
état, *m.* state; **l'Etat,** the State.
été, *m.* summer.
éteindre, to put out (extinguish); **s'—,** pass away (die).
étendre, to stretch.
étendue, *f.* expanse.
étinceler, to sparkle.
étoffe, *f.* stuff.
étonnement, *m.* astonishment, wonder.
étonner, to astonish, **s'—,** be astonished.
étouffer, to smother, suffocate.
étrangement, strangely.
étranger, foreign; *m.* stranger; **à l'—,** in foreign lands.
être, to be; **— à,** belong to; *m.* being.
étreindre, to bind, press close.
étrenne, *f.* New Year's gift.
étroit, narrow, confined.
étroitement, closely.
étroitesse, *f.* narrowness.

étude, *m.* study; office; practice.
étudier, to study, scrutinize.
européen, *also* **Européen** (*m.*), European.
évanouir (s'), to faint.
éveiller, to waken.
événement, *m.* event.
évidemment, evidently.
éviter, to avoid, prevent.
exact, exact; prompt.
exceller, to excel, surpass.
exciter, to excite.
excommunier, to excommunicate.
exécuter (s'), to act (*under pressure of arguments, demands*), comply.
exemple, *m.* example; **par —,** for example.
exhaler, to exhale.
exiger, to exact, insist upon.
exiler, to exile.
exister, to exist.
expirer, to expire.
expliquer, to explain.
exploitation, *f.* working of land; land under cultivation.
exposer, to expose, bare.
expression, *f.* expression.
exprimer, to express.
exquis, exquisite, delicate.
extérieur, outer; *m.* outside.

F

fabriquer, to manufacture, make.
face, *f.* visage; **en —,** straight in the face; opposite.
fâcher (se), to get angry.
facile, easy.
faciliter, to facilitate.
façon, *f.* manner, way; workmanship (*see p. 19, n. 6*); **—s,** manners.
façonner, to fashion, shape.
facteur, *m.* porter, carrier, postman.
faculté, *f.* power; **—s,** (mental) faculties.
faible, weak, insignificant.
faïence, *f.* crockery.
failli, *m.* one who has failed in business.
faillir, to fail; (+*infin.*), come near.
faillite, *f.* failure in business; **faire —,** to fail.
faim, *f.* hunger.
fainéant, *m.* loafer.
faire, to make, do, act as; (+*infin.*), cause; (*of weather*) be.
faisan, *m.* pheasant.
falloir, to be necessary.
fameux, famous.
famille, *f.* family.
fantaisie, *f.* whim.
fantasque, whimsical.
farine, *f.* flour.
farouche, fierce.
fastes, *m. pl.* annals.
fatiguer, to tire, wear down *or* out.
faubourg, *m.* 'faubourg' (*part of a town formerly or still outside the gates*).
faucher, to mow.
faute, *f.* mistake, fault, moral transgression; **— de,** for lack of.
fauteuil, *m.* armchair.
faux, false, untrue.
faveur, *f.* favor.
favoriser, to favor, support.
fécond, fertile.
femelle, female.
femme, *f.* woman, wife.
fendiller, to crack.
fenêtre, *f.* window.
fente, *f.* crack.
fer, *m.* iron.
fermage, *m.* farm tenant's rent.
ferme, *f.* farm.
fermer, to close.

fermeté, *f.* firmness.
fermier, *m.* farmer, farm tenant.
fête, *f.* festival; saint's day, birthday (*see p. 13, n. 1*); **faire — à,** do honor to.
fêter, to celebrate, entertain.
feu, deceased; *m.* fire.
feuille, *f.* leaf.
fiançailles, *f. pl.* betrothal.
ficher, to stick in solidly; **se —,** fall.
fichu, deuced; *m.* fichu (*neckerchief, part of woman's dress*).
fidèle, faithful.
fier (se), to trust.
fier, proud.
fierté, *f.* pride.
fièvre, *f.* fever.
fifille, *f. see p. 106, n. 1.*
figure, *f.* face; outline.
figurer (se), to imagine.
fil, *m.* thread.
filer, to spin.
fille, *f.* daughter, girl; **vieille —,** old maid.
filouter, to steal surreptitiously, cheat (*someone*) of.
fils, *m.* son.
fin, delicate; shrewd; *f.* end, goal.
financier, financial; **à la financière,** financially.
financièrement, financially.
finesse, *f.* delicacy; shrewdness.
fixe, fixed.
flacon, *m.* flagon.
flambeau, *m.* torch, candlestick, candle.
flamboyer, to blaze.
flamme, *f.* flame.
flanquer, to throw, pitch.
flatteur, *m.* flatterer.
flegmatiquement, phlegmatically, with indifference.
flétrir, to wither.
fleur, *f.* flower.
fleurir, to blossom.
flots, *m. pl.* waters.
flux, *m.* flow.
foi, *f.* faith; **ma —!** my faith! **ajouter — à** to believe.
foin, *m.* hay.
fois, *f.* time; **à la —,** at one and the same time.
folâtrer, to disport oneself.
folie, *f.* madness; **faire la — de,** to be mad enough to.
fonction, *f.* office.
fond, *m.* bottom, end; fundamental characteristic; **—s,** funds, stocks; **—s publics,** Government bonds.
fondation, *f.* founding.
fondre, to melt; **— sur,** fall upon, attack; **— en larmes,** break into tears.
force, *f.* force, strength; **à — de,** by dint of.
forêt, *f.* forest.
forme, *f.* form.
former, to form.
formula, *f.* (prescribed) form; formula.
fort, strong, big; very; **— de,** broad across; fortified by.
fortement, strongly.
fortune, *f.* fortune.
fossé, *m.* ditch.
fou, mad.
foudre, *f.* thunderbolt.
foudroyer, to strike down with thunder; **foudroyé,** crushed.
fouler, to press, trample; **se — le pied,** sprain one's ankle.
four, *m.* oven.
fournil, *m.* bake-house.
fournir, to supply; **— de,** supply with.
fourreau, *m.* case.
fourrer, to thrust.
foyer, *m.* hearth.
fraîcheur, *f.* freshness.
frais, fresh, cool; *m. pl.* expenses.
franc, frank, sincere; *m.* franc (*coin worth nearly 20 cents*).

français, French.
franchise, *f.* independence.
frange, *f.* fringe, border.
frapper, to strike, knock.
frêle, frail, delicate.
frémir, to shudder.
fréquemment, frequently.
fréquenter, to frequent.
friand, tasty, appetizing.
friandise, *f.* delicate dish, titbit.
frileux, chilly.
fripon, *m.* knave, cheat.
frisson, *m.* shudder.
frissonner, to shudder.
froid, cold, *m.* cold.
froidement, coldly.
froideur, *f.* coldness.
froisser, to bruise, wound.
front, *m.* forehead; cheek (audacity).
frotter, to rub.
fruit, *m. and* **—s,** fruit.
fruitier, fruit-bearing; *m.* fruit closet.
fumée, *f.* smoke.
funeste, baleful (*bringing death or misfortune*).
furtif, furtive, stealthy.
furtivement, stealthily, secretly.
futur, future; *m.* fiancé.
fuyard, fleeing, fugitive.

G

gage, *m.* pledge; **—s,** wages.
gagner, to earn, win; catch (*an illness*).
gai, merry.
gaiement, gaily.
gaieté, *f.* gayety.
galant, worthy, honest.
galette, *f.* round flat cake.
ganache, *f.* blockhead.
gant, *m.* glove.
garantie, *f.* guarantee, voucher.
garantir, to guarantee, vouch for.
garce, *f.* wench.
garçon, *m.* boy, fellow.
garde, *m.* keeper, warden; *f.* guard, care.
garde-robe, *f.* wardrobe.
garder, to keep.
garnir, to furnish, adorn, cover.
gâter, to spoil.
gauche, left; awkward.
gausser, to make game of.
gelée, *f.* frost.
geler, to freeze.
gémir, to groan.
gémissement, *m.* groan.
gendre, *m.* son-in-law.
gêner, to hamper, put to inconvenience.
généreux, noble-minded, generous.
genou, *m.* knee.
genre, *m.* kind.
gens, *m. and f. pl.* folk, people; **jeunes —,** young people, young men.
gentil, amiable, nice, attractive.
gentilhomme, *m.* nobleman; **— de la chambre,** gentleman of the king's bedchamber.
gérer, to manage.
gésir, to lie.
geste, *m.* gesture, movement; **—s,** bearing; doings.
gibier, *m.* game.
gilet, *m.* waistcoat.
gisaient, *imperf. of* **gésir.**
glacer, to freeze, chill.
gland, *m.* tassel.
glisser, to slip.
gloser, to comment, prattle (*about something*).
gober, to swallow down greedily.
goguenard, bantering, jeering.
gonfler, to inflate; **se —,** swell; **gonflé,** swollen.
gouffre, *m.* gulf, abyss.
gousset, *m.* fob pocket.

goût, *m.* taste.
goûter, to taste.
goutte, *f.* drop.
grâce, *f.* grace, favor; **bonnes —s,** goodwill; — **à,** thanks to; **de —,** I beg of you; **mauvaise —,** unattractiveness.
gracieusement, affably.
gracieux, gracious, attractive; — **sourire,** winning smile.
graduellement, gradually.
grain, *m.* grain, fleck (*of snuff*).
graine, *f.* seed; **mauvaise —,** 'bad lot'.
gramme, *m.* gram (*weight*).
grand, big, tall.
grandeur, *f.* bigness, greatness, [nobility.
grandir, to grow.
granit, *m.* granite.
grappe, *f.* bunch.
gras, fat.
Grassiniste, *m. or f.* follower of the des Grassins family.
grassouillet, chubby.
gratis, without charge.
gravement, gravely.
grave, serious, grave.
graver, to engrave.
gravement, gravely.
gravité, *f.* seriousness, danger.
gré, *m.* liking; **savoir —,** to be grateful.
grec, -que, Greek.
greffe, *m.* record-office; — **du tribunal,** clerk of the court.
grêle, *f.* hail.
grenier, *m.* attic.
grès, *m.* sandstone, stone.
grièvement, seriously.
griffe, *f.* claw.
grille, *f.* grating.
grimacer, to grimace.
grimper, to climb.
gris, grey.
grisonnant, turning grey.
grommeler, to mutter.
gronder, to object; scold.
grondeur, scolding.
gros, bulky, fat, thick, coarse; **en —,** wholesale.
grossir, to augment, enlarge.
grouiller, to stir; bestir.
groupe, *m.* group.
guère, ne . . . —, hardly.
gueule, *f.* jaws.
guinguette, *f.* country tavern.

H

habileté, *f.* skill.
habiller (s'), to dress.
habit, *m.* coat.
habitant, *m.* inhabitant.
habiter, to inhabit, occupy.
habitude, *f.* habit.
habitué, *m.* frequenter, regular guest.
habituel, habitual, usual.
habituellement, ordinarily.
habituer, to accustom.
hacher, to chop, cut to pieces.
haie, *f.* hedge.
hanche, *f.* hip.
harceler, to harass, prick (*of the conscience*).
hardi, bold, enterprising.
hardiesse, *f.* boldness, act of daring.
harpon, *m.* harpoon.
hasard, *m.* chance; **au —,** at random.
hausser, to raise; rise; — **les épaules,** shrug one's shoulders.
haut, high, lofty; loud, aloud; *m.* higher part, top; **de — en bas,** from top to bottom.
hauteur, *f.* height.
hébété, stupefied.
hein, *as exclam.* eh!, *as question,* what? *colloquial equivalent to* "**n'est-ce pas?**"
Hercule, *m.* Hercules.
héritage, *m.* inheritance.

hériter, to receive an inheritance; inherit.
héritière, *f.* heir, heiress.
héros, *m.* hero.
hésiter, to hesitate.
heure, *f.* hour; **de bonne —,** early.
heureusement, happily, opportunely.
hier, yesterday.
hirondelle, *f.* swallow.
histoire, *f.* history, story.
hiver, *m.* winter.
hocher, to shake.
hollandais, Dutch.
Hollande, *f.* Holland.
homme, *m.* man.
honnête, honest; proper; **— homme,** a man of honor.
honneur, *m.* honor.
honoraire, honorary.
honoraires, *m. pl.* fees.
honte, *f.* shame.
honteux, ashamed, abashed, shameful.
horloge, *f.* clock.
hospice, *m.* home (*asylum*).
hôtel, *m.* mansion; hotel.
humblement, humbly.
humer, to breathe in, sniff up.
humilier, to humiliate.
hypothèque, *f.* mortgage.

I

idée, *f.* idea.
idolâtrer, to idolize.
ignominieux, ignominious.
ignorant, ignorant.
ignorer, not to know.
illicite, unlawful.
ilote, *m. and f.* helot (*slave of ancient Sparta*).
image, *f.* image, picture.
immobile, motionless.
impassible, impassive, dispassionate.
impatiemment, impatiently.
impatienter, to try the patience; **s'—,** grow impatient.
impérial, imperial.
impertinemment, impertinently; boldly.
impertinence, *f.* impropriety; insolence.
impertinent, insolent, impertinent; *m.* coxcomb.
implorer, to beseech; beg for.
importance, *f.* importance, value.
imposer, to impose, levy; tax.
imposition, *f.* imposition, tax.
impôt, *m.* tax.
imprimer, to imprint.
improbité, *f.* dishonesty.
inabordable, unapproachable.
inadvertance, *f.* inadvertence; **par —,** inadvertently.
inarticulé, inarticulate.
incapable, unable.
incertitude, *f.* uncertainty.
incessament, incessantly.
inclination, *f.* inclination; bow.
inconnu, unknown; *m.* stranger.
incruster, to inlay.
inculte, uncultivated.
Indes; **les —,** *f.* the Indies; **les Grandes —,** the East Indies.
indiquer, to indicate, designate.
indiscret, prying, inconsiderate.
indivis, undivided.
industriel, *m.* manufacturer.
inébranlable, resolute.
inespéré, unhoped for, unlooked for.
inextinguible, inextinguishable.
infamie, *f.* infamy.
infini, infinite.
influer, to have an influence.
informer, to inform.
infraction, *f.* breach.
ingénieusement, ingeniously.
inhabité, uninhabited, untenanted.
initier, to initiate.

injure, *f.* insult, abusive remark.
injuste, *m.* unjust.
inoccupé, unoccupied, idle.
inonder, to inundate.
inouï, unheard of, extraordinary.
inquiétude, *f.* anxiety.
insecte, *m.* insect.
insensiblement, insensibly.
insolite, unusual.
insouciant, thoughtless.
inspirer, to inspire.
instance, *f.* entreaty.
instituer, to institute, set up.
instruire, to teach, inform.
insu; **à l'— de,** unknown to; **à son —,** unknown to him.
intégralement, in full.
intelligence, *f.* understanding.
intéresser, to interest.
intérêt, *m.* interest; sympathy; **— composé,** compound interest.
intérieur, inner; *m.* inside.
intérieurement, in the interior; to oneself.
interpeller, to put a question to (*parliamentary expression*).
interroger, to question.
interrompre, to interrupt.
intertropical, intertropic, tropical.
intime, intimate.
intimité, *f.* intimacy.
intrigante, *f.* intriguer.
intrinsèque, intrinsic.
introduire, to introduce (to bring *or* take in).
inutile, useless.
inventaire, *m.* inventory.
inventer, to invent, think up.
inventorier, to make an inventory of.
invétéré, inveterate.
ironie, *f.* irony.
israélite, *m.* Israelite, Jew.
ivre, intoxicated; **— de,** infatuated with.

J

jadis, formerly, of old.
jaillir, to gush, spring forth.
jamais, never; (*with affirmative verb*) ever; **à —,** forever.
jambe, *f.* leg.
jardinet, *m.* little garden.
jaser, to chatter, gossip.
jaunâtre, yellowish.
jaune, yellow.
jaunir, to turn yellow.
jeter, to throw.
jeton, *m.* counter. *See p. 21, n. 5.*
jeu, *m.* playing; gambling.
jeune, young.
jeunesse, *f.* youth.
joie, *f.* joy.
joindre, to join, add.
joli, pretty, 'good looking' (*of men*).
joue, *f.* cheek.
jouer, to play; affect; **— à,** play (*of a game*); **se — de,** make sport of.
joueur, addicted to gambling; *m.* player; gambler.
jouir de, enjoy.
jouissance, *f.* enjoyment, experience. *See p. 30, n. 1.*
jour, *m.* day; **au —,** at daybreak; **au petit —,** at dawn; **à —,** open to the light, exposed to the view; **de — en —,** from day to day.
journal, *m.* newspaper.
journalier, daily.
journée, *f.* day.
jouxtant, adjoining.
joyau, *m.* jewel.
joyeux, joyous, delighted.
juge, *m.* judge, justice.
jugement, *m.* judgment, sentence.
juif, *m.* Jew.
juin, *m.* June.
jurer, to swear.

juron, *m.* oath.
jusque, jusqu'à, as far as, till.
juste, *m.* just.
justesse, *f.* accuracy.
justifier, to justify.

K

kakatoès, *m.* cockatoo.

L

là, there; at this point (in our story).
là-bas, out there, yonder.
labeur, *m.* labor, work.
lac, *m.* lake.
lacer, to lace.
lâcher, to loose; utter.
là-haut, up there.
laid, ugly.
laideur, *f.* ugliness.
laisser, to leave; allow; **se — faire,** submit.
laiton, *m.* brass, brass wire.
lambeau, *m.* shred.
lame, *f.* blade.
lancer, to launch, cast.
lande, *f.* moor, waste land.
langue, *f.* tongue.
lard, *m.* lard.
large, broad.
larme, *f.* tear.
las, tired.
latin, *m.* Latin.
latte, *f.* lath.
lecture, *f.* reading.
légalement, according to law.
léger, light.
légèrement, lightly.
légèreté, *f.* lightness.
légitimement, justly, rightfully.
léguer, to bequeath.
légume, *m.* vegetable.
lendemain, *m.* next day.
lent, slow.
lentement, slowly.
lestement, nimbly.
lever, to lift; **se —,** get up.
lèvre, *f.* lip.
libraire, *m.* bookseller.
libre, free.
licencieusement, wantonly.
licitation, *f.* sale by auction (of property belonging to joint owners).
liciter, to sell by auction (*see* **licitation.**
lien, *m.* band, bond, tie.
lier, to bind; **se — avec,** make friends with.
lieu, *m.* place; **avoir —,** to take place; **au — que,** whereas.
lièvre, *m.* hare.
ligne, *f.* line.
linceul, *m.* winding sheet.
linge, *m.* linen.
linotte, *f.* linnet; want-wit (*of persons*).
liquidateur, *m.* liquidator.
liquider, to liquidate.
lire, to read.
liseron, *m.* morning glory.
lisser, to brush.
lit, *m.* bed.
livre, *f.* pound; franc.
livrer, to deliver.
locataire, *m.* tenant.
loge, *f.* box (at the opera).
loger, to install, put up; have one's lodgings, live.
logis, *m.* dwelling, house, home.
loi, *f.* law.
loin, far.
lointain, *m.* distance.
Loire, *f.* Loire (river).
long, long; **le — de,** along.
longtemps, a long time.
longuement, at length.
lorgner, to eye; examine with a lorgnon.
lorgnon, *m.* eyeglass.
lors, then.
lorsque, when.
lot, *m.* lot, prize, sale.
louange, *f.* praise.

louis, *m.* 'louis'. *See p. 4, n. 1.*
loup, *m.* wolf; **à pas de —,** stealthily.
loupe, *f.* wen.
loyal, loyal, true.
loyauté, *f.* honesty; sincere devotion.
lucide, lucid.
lueur, *f.* glow.
lugubre, lugubrious, doleful.
luire, to glow.
lumière, *f.* light, lighting.
lumineux, luminous, enlightening.
luxe, *m.* luxury.

M

M. *for* **Monsieur,** Mr.
madame, Madam, Mrs.
mademoiselle, Miss.
magasin, *m.* store.
magistrat, *m.* magistrate.
magnifique, magnificent.
magnifiquement, magnificently.
maigre, thin, wretched, poor (*of ground*).
maille, *f. old coin of very small value;* **n'avoir ni sous ni —,** to possess no money at all.
main, *f.* hand.
maintenant, now, at present.
maintenir, to maintain.
maire, *m.* mayor.
mais, but; (*as interjection*) why!
maison, *f.* house, business house.
maître, *m.* master; **— tonnelier,** master cooper; *also the regular title given to a lawyer, notary, etc.*
maîtresse, *f.* mistress; **— dent,** upper front tooth.
majeur, of age.
majorat, *m. See. p. 141, n. 5.*
mal, *adv.* badly; *adj.* wrong; ill (sick); *m.* sickness, pain; evil; **faire —,** to hurt; **avoir du — à,** find it hard to.
malavisé, ill-advised, ill-inspired.
malgré, in spite of.
malheur, *m.* misfortune.
malheureusement, unfortunately.
malheureux, unhappy.
malicieux, malicious, knowing.
malin, sly, knavish; *m.* sly knave.
malingre, ailing, poorly.
malle, *f.* trunk.
malveillant, malevolent, unfriendly.
mamselle, *slovenly for* **mademoiselle.**
manche, *f.* sleeve.
mandat, *m.* order, draft.
manger, to eat.
manie, *f.* mania.
manier, to handle.
manière, *f.* manner; **de — à,** so as to.
manifester, to manifest, show.
manque, *m.* lack.
manquer, to be lacking; miss; **— de,** lack; **— de** (+*infin.*), come near (*doing something*).
mansarde, *f.* garret.
manteau, *m.* mantle.
mappemonde, *f.* map of the world.
maraîcher, *m.* market gardener.
marbrer, to vein, seam.
marchand, *m.* storekeeper, merchant.
marchandise, *f.* merchandise, goods.
marche, *f.* step.
marché, *m.* market; bargain (*agreement in business*).
marcher, to walk, step, advance.
marée, *f.* tide; salt-water fish.

margoulette, *f.* (*vulgar*) mouth.
marguerite, *f.* daisy.
mari, *m.* husband.
mariage, *m.* marriage, wedding.
marier, to give in marriage.
marin, *m.* sailor.
maroquin, *m.* morocco leather.
marquer, to mark; be notable.
marqueterie, *f.* inlaid work.
marquisat, *m.* marquisate, estate of a marquis.
marquise, *f.* marchioness.
marteau, *m.* hammer, knocker.
martial, martial, military.
masse, *f.* mass, horde; **en —,** in a body.
matelot, *m.* sailor.
maternel, maternal, mother's.
matin, *adv.* early; *m.* morning.
matinal, morning; early-rising.
matinée, *f.* morning.
maudire, to curse.
mauvais, bad, worthless, wrong.
Me. = Maître, *which see.*
méconnaître, to misjudge, mistake.
médecin, *m.* physician.
méditer, to meditate; **— à,** think over.
mélancolie, *f.* melancholy, sadness.
mélancoliquement, gloomily.
mêler, to mix, mingle; **se — de,** meddle with (*see p. 40, n. 2*).
membre, *m.* member; limb.
même, same, self, even; **de — que,** even as; **tout de —,** all the same.
mémère, *see p. 106, n. 1.*
mémoire, *f.* memory.
mémorable, memorable.
menace, *f.* threat.
ménage, *m.* housekeeping, house, household, home.
ménagement, *m.* consideration, care.
ménagère, *f.* housewife.
mener, to lead.
mensonge, *m.* lie.
mensuellement, every month.
mentir, to lie.
menton, *m.* chin. [(*bill of fare*).
menu, small, delicate; *m.* menu
méprendre, to scorn, disdain.
mépris, *m.* scorn, disdain.
mépriser, to disdain.
mer, *f.* sea.
merci, thank you.
merisier, *m.* wild cherry tree, cherry wood.
merrain, *m.* stave wood, staves.
merveille, *f.* marvel; **à —,** marvelously, excellently.
mesquin, mean, narrow.
messe, *f.* mass.
mesure, *f.* measure.
mesurer, to measure, mete out.
métairie, *f.* farm.
métamorphoser, to transform.
méthodique, methodical.
métier, *m.* trade.
mettre, to put, place, put on; **se —,** place oneself, dress; **se — à,** set about, start; **mettons,** let's say.
meuble, *m.* article of furniture.
meunier, *m.* miller.
meurtrier, murderous.
midi, *m.* noon.
miel, *m.* honey.
miette, *f.* crumb.
mieux, better.
mignon, dainty and pretty; dear; 'cute'.
milieu, *m.* middle; setting.
militaire, *m.* soldier.
millier, *m.* thousand.
ministre, *m.* minister.
minutieux, minute, very attentive.
mirliflore, *m.* coxcomb, fop.
miroir, *m.* mirror.
mirer (se), to look at one's reflection.

mise, *f.* attire; stake *or* 'ante'.
misérable, worthless.
misère, *f.* wretchedness; poverty; mere nothing.
mitoyen, dividing; **mur —,** party wall.
Mlle. *for* **Mademoiselle,** Miss.
Mme. *for* **Madame,** Mrs.
mobilier, *m.* furniture.
mode, *f.* fashion; **à la —,** in fashion, fashionable.
modéré, moderate.
mœurs, *f. pl.* manners (*habits and customs*).
moins, less; **au —,** at least.
mois, *m.* month.
moisson, *f.* harvest (*of grain*).
moitié, *f.* half; **à —,** half.
mollement, softly.
mollet, *m.* calf (of the leg).
mollir, to become soft.
momentanément, for the moment.
monarchique, monarchic.
monastique, monastic.
monde, *m.* world, people, society; **tout le —,** everybody.
monnayer, to mint.
monomanie, *f.* monomania (*insanity on one subject only*).
monsieur, Mr., master (*see p. 48, n. 5*); *m.* gentleman.
monotone, monotonous.
monter, to go up; amount; carry up; fit up.
montre, *f.* display; show window; watch.
montrer, to show.
montueux, hilly.
moquer (se), to mock; **— de,** make game of.
moqueur, deriding, scoffing.
moral, mental, spiritual.
moralement, morally.
morale, *f.* morals.
morceau, *m.* piece; lump (*of sugar*).
mordre, to bite.
mort, dead; *m.* dead (person); *f.* death.
mortel, mortal, deadly.
morue, *f.* codfish.
mot, *m.* word, expression, saying.
motif, *m.* motive, incentive, reason.
motus, mum! not a word!
mouche, *f.* fly.
mouchoir, *m.* handkerchief.
mouette, *f.* sea-gull.
mouiller, to wet.
mouler, to mold.
moulin, *m.* mill.
moulure, *f.* molding.
mourir, to die.
mousse, *f.* moss.
moussu, moss-covered.
mouton, *m.* sheep; mutton.
mouvement, movement, motion; impulse.
mouvoir, to impel.
moyen, mean, middle; *m.* way, means; **—s,** natural ability.
moyennant, by means of, in consideration of.
muet, mute, wordless.
munir, to provide.
mur, *m.* wall.
muraille, *f.* wall.
murmure, *m.* murmur.
muser, to trifle, loaf.
mutuel, mutual, reciprocal.
mystère, *m.* mystery.
mystérieux, mysterious.

N

naïf, artless.
naguère, recently.
naissance, *f.* birth.
naître, to be born; **née** (*f.*) whose maiden name was.
naïveté, ingenuousness, artlessness.
napoléon, *m. coin worth twenty francs. But see p. 107, n. 1.*

nappe, *f.* tablecloth.
napperon, *m.* small tablecloth.
narguer, to defy.
natte, *f.* plait (of hair).
nature, *f.* nature.
néanmoins, nevertheless.
nécessaire, necessary; *m.* dressing case; workbox.
négatif, negative.
négligemment, carelessly.
négociant, *m.* merchant.
neige, *f.* snow.
nerveux, nervous; sinewy.
net, flatly.
nettement, clearly.
neuf, new.
neveu, *m.* nephew.
nez, *m.* nose.
niais, silly, foolish.
niaiseries, *f. pl.* nonsense.
nigaud, *m.* simpleton.
noblesse, *f.* rank of nobility, nobility.
noces, *f. pl.* marriage, wedding.
noir, black.
nom, *m.* name.
nombreux, numerous.
nomination, *f.* appointment.
nommer, to name, appoint; **se —,** bear the name of.
notaire, *m.* notary.
notarié, executed by a notary.
noueux, knotty.
nourrir, to feed.
nouveau, new.
nouvelle, *f.* bit of news; **—s,** news.
nouvellement, newly.
novembre, *m.* November.
noyer, to drown.
noyer, *m.* walnut tree.
nu, naked, bare.
nuage, *m.* cloud.
nuire, to harm.
nuit, *f.* night.
nul, no (*adj.*).
nullement, in no wise.
numéro, *m.* number.

O

obéir, to obey.
objet, *m.* object, cause.
obligeance, *f.* kindness.
obliger, to put under obligations, oblige.
obscur, dark; out-of-the-way.
obscurité, *f.* darkness.
observateur, observant.
obtenir, to obtain, get.
occuper, to occupy, absorb the interest; **s'— de,** act *or* plan in behalf of.
occurrence, *f.* circumstances.
octobre, *m.* October.
odeur, *f.* odor.
œillade, *f.* glance.
œillet, *m.* eyelet.
œsophage, *m.* oesophagus.
œuf, *m.* egg.
œuvre, *f.* work.
offenser, to offend.
office, *m.* (church) service.
offrir, to offer, present.
oie, *f.* goose.
oiseau, *m.* bird.
oisif, idle.
ombrager, to shade.
ombre, *f.* shadow, shade.
once, *f.* ounce.
ongle, *m.* finger *or* toe nail.
or, *m.* gold.
or, now (*rhetorical expression*).
orage, *m.* storm.
ordinairement, usually.
ordonnance, *f.* order, ordinance, prescription.
ordonner, to order, prescribe.
oreille, *f.* ear.
orgueil, *m.* pride.
orgueilleusement, proudly.
ornement, *m.* embellishment ornament.
orner, to adorn.
orphelin, *m.* orphan.
os, *m.* bone.
oser, to dare, venture.

ossements, *m. pl.* bones (*of a dead body*), dry bones.
ôter, to take away *or* off.
ou, or.
où, where.
ouate, *f.* cotton (*absorbent cotton, cotton batting*).
oubli, *m.* forgetting, forgetfulness.
oublier, to forget.
ouin! pooh! *See p. 104, n. 4.*
ourdir, *technical term in weaving;* — **une trame,** to form a plot.
outil, *m.* tool.
outre, beyond, besides; **en —,** in addition.
ouvertement, openly.
ouvrage, *m.* work.
ouvrier, *m.* workman.
ouvrière, *f.* workwoman.
ouvrir, to open.
ovale, oval.

P

p. *for* **pour.**
pacifique, pacific.
pacotille, *f. see p. 19, n. 5.*
paille, *f.* straw.
pain, *m.* bread, loaf.
pair, *m.* peer.
pairie, *f.* peerage.
paisiblement, peacefully.
paix, *f.* peace, peacefulness.
pâle, pale, wan.
pâleur, *f.* pallor.
palier, *m.* landing.
pâlir, to grow pale.
pâlot, palish, sallow.
palpiter, to palpitate, throb, shake.
pan, *m.* expanse, stretch.
panier, *m.* basket.
panique, panic; **peur —,** unreasoning fear, panic.
panneau, *m.* panel.
panser, to dress (*of wounds*).
pantalon, *m.* trousers.
pantois, dumbfounded.
paon, *m.* peacock.
paquet, *m.* bundle.
par, by, through, for the sake of; **par-ci . . . par-là,** here . . . there, this way . . . that way.
paraître, to appear.
paralysie, *f.* paralysis.
parc, *m.* park.
parce que, because.
parcelle, *f.* particle.
parcimonieusement, parsimoniously.
parcimonieux, parsimonious, stingy.
pareil, similar, like, such.
parent, *m.* parent, relative.
parenté, *f.* relationship.
parfaitement, perfectly.
parfois, occasionally, at times.
parfum, *m.* perfume.
parisien, *adj. or noun, m.* Parisian.
parler, to speak.
parmi, among.
paroisse, *f.* parish; parish church.
paroissial, *adj.* parish.
paroissien, *m.* prayer book.
parole, *f.* word, power of speech.
part, *f.* share; place; **prendre — à,** to share in; **faire — de,** communicate, inform (*someone*) of.
partage, *m.* division.
partager, to divide, share.
parti, *m.* decision; party (*politically*); match (*marriage*); **tirer — de,** to turn to account; **prendre son —,** make up one's mind.
participer, to participate.
particulier, particular; peculiar, private.
partie, *f.* part; game.

partir, to leave, go; — **d'un éclat de rire,** burst out laughing.
partout, everywhere.
parvenir, to reach; — **à,** succeed in.
pas, *m.* step, pace.
passablement, considerably.
passage, *m.* passage (*crossing of the ocean*).
passant, *m.* passer-by.
passe-partout, *m.* skeleton key.
passeport, *m.* passport.
passer, to pass, spend (*of time*); skip; — **pour,** be considered; **passé,** faded (*of color*); **se** —, happen; **se** — **de,** do without.
passion, *f.* love.
passionnément, passionately.
pasteur, *m.* pastor.
patiemment, patiently.
patin, *m.* wooden block.
patriotique, patriotic.
patronymique, derived from the name of one's fathers.
patte, *f.* paw; **haut la** —! hustle!
paupière, *f.* eyelid.
pavé, *m.* paving stone, paving, pavement.
payement, *m.* payment.
payer, to pay, pay for.
pays, *m.* country, region.
paysage, *m.* landscape.
peau, *f.* skin; leather (*of gloves*).
péché, *m.* sin.
pécher, to sin.
pêcher, to fish; fish up.
pécule, *m.* stock of money.
pécuniairement, financially.
peigner, to comb.
peindre, to paint, depict.
peine, *f.* sorrow; trouble (*inconvenience*); **à** —, hardly.
penchant, *m.* inclination.
pencher, to incline; **se** —, bend over.
pendant, during.
pendre, to hang.
pendule, *f.* clock.
pénible, painful, pained.
pensée, *f.* thought.
penser, to think; — **à,** think of.
pente, *f.* slope; —**s,** bed hangings.
pépère, *see p. 106, n. 1.*
percer, to pierce; appear.
perdre, to lose, ruin.
perdreau, *m.* young partridge
perdrix, *f.* partridge.
père, *m.* father.
perfection, *f.* perfection; —**s,** excellencies.
perfectionner, to give the finishing touches to.
périr, to perish.
perle, *f.* pearl.
permettre, to permit.
perruque, *f.* wig.
persister, to last.
personnage, *m.* character.
personne, *f.* person; **ne . . .** —, no one; (*without a verb*) no one.
perspective, *f.* prospect.
perte, *f.* loss.
peser, to weigh.
peste! the mischief!
pétale, *m.* petal.
petit, little, small.
petite-maîtresse, *f.* pretentious, affected woman.
petitesse, *f.* smallness, littleness, narrowness.
peu, *adv.* little; — **de,** but little, few; **un** —, a little.
peuplier, *m.* poplar.
peur, *f.* fear.
peut-être, perhaps.
phénix, *m.* phenix, paragon.
philosophe, *m.* philosopher.
phrase, *f.* sentence.
physionomie, outward form, aspect, face.

physique, *m.* exterior (*of a person*); **au —,** in appearance.
pièce, *f.* piece, length (*of cloth*); cask (*of wine*); room (*of a building*); coin (*of money*).
pied, *m.* foot.
piédestal, *m.* pedestal, upright.
pierre, *f.* stone.
pile, *f.* pier (*of bridges, etc.*)
pillage, *m.* pillage, sack.
pincer, to pinch.
pistolet, *m.* pistol.
piteusement, piteously.
pitié, *f.* pity.
pittoresque, picturesque.
place, *f.* place, spot; public square; place (*of servants*); **à ma —,** in my shoes.
placement, *m.* investment.
placer, to place; invest (*of money*); **se —,** get a place as a servant.
plafond, *m.* ceiling.
plaideur, *m.* litigant.
plaie, *f.* wound.
plaindre, to pity; **se —,** complain.
plainte, *f.* lament, complaint.
plaire, to please.
plaisamment, good naturedly.
plaisanterie, *f.* joke.
plaisir, *m.* pleasure.
planchéier, to board.
plancher, *m.* ceiling; floor.
plane, *f.* draw-knife.
planter, to plant; set up.
plaque, *f.* plate (*of metal*).
plat, flat, shallow; *m.* dish.
plein, full, well filled; **en — air,** in the open air.
pleur, *m.* tear.
pleurer, to weep.
pli, *m.* fold.
plier, to fold, bend; yield.
plonger, to plunge.
pluie, *f.* rain.
plume, *f.* feather; pen.
plus, more; **de —,** besides.
plutôt, rather.
poche, *f.* pocket.
poids, *m.* weight.
poignée, *f.* handful; **— de main,** handshake.
poignet, *m.* wrist.
point, *m.* point; **au — de,** to the extent of; **cuire à —,** to cook to a turn.
poire, *f.* pear.
poli, polite.
politesse, *f.* politeness.
politique, political; shrewd; *f.* policy.
pomme, *f.* apple; knob.
pompe, *f.* pomp, state.
pont, *m.* bridge.
port, *m.* harbor, dock, river front.
porte, *f.* door; **de — en —,** from door to door; **— cochère,** porte-cochère (*carriage doorway*).
portée, *f.* reach.
portefeuille, *m.* bill-case, wallet; (*slang*) bed.
porter, to carry, wear.
portugais, Portuguese.
poser, to set down; **se —,** take one's position, alight, settle.
positivement, positively, point-blank.
posséder, to possess.
poste, *f.* post (*stagecoach line*), stagecoach.
pouce, *m.* thumb; inch.
poudre, *f.* powder.
poulet, *m.* chicken.
poupée, *f.* puppet.
pour, for, on account of, in order to; **— cent,** percent; **— deux sous de . . .,** two cents' worth of.
pourparler, *m.* parleying.
pourrir, to rot.
poursuite, *f.* pursuit; prosecution.
pousser, to push, urge; utter (*of sound*).

poutre, *f.* beam.
pouvoir, to be able; *m.* power.
prairie, *f.* meadow.
pré, *m.* meadow.
précieux, precious.
précipiter (se), to rush, hasten forward.
précis, precise; **à cinq heures —es,** at exactly five o'clock.
précisément, precisely, just.
prédire, to predict.
préfecture, *f.* prefecture; 'departement'. *See p. 2, n. 6.*
préfet, *m.* prefect (*administrative head of a département. See p. 2, n. 6*).
préjugé, *m.* prejudice.
prélèvement, *m.* previous deduction.
premier, first, prime.
premièrement, first, in the first place.
prendre, to take, get, catch; **— sur,** borrow from; **s'y —,** set about it; **se — à,** begin to.
préoccupation, *f.* preoccupation.
préoccuper, to preoccupy.
prescience, *f.* foreknowledge.
présent, present; *m.* present, gift.
présenter, to present.
présidence, *f.* presidency.
président, *m.* president.
présider, to preside; **— à,** govern.
presque, almost.
pressant, urgent.
pressentiment, presentiment, misgiving.
pressentir, to have a presentiment of.
présumer, to presume.
prêt, ready; *m.* loan.
prétendre, to affirm; intend to.
prétention, *f.* pretention.
prêter, to lend, attribute.
prêtre, *m.* priest.
preuve, *f.* proof.
prévaloir, to prevail, triumph.
prévoir, to foresee, anticipate.
prier, to pray to God; beg.
prière, *f.* prayer.
primevère, *m.* spring time (*fig.*)
principe, *m.* source, element.
printemps, *m.* spring.
prise, *f.* taking; **— de tabac,** pinch of snuff; **être aux —s avec,** to struggle with.
priver, to deprive.
prix, *m.* price; prize.
probe, honest.
problématique, problematic.
problème, *m.* problem, question.
procès, *m.* lawsuit; **être en —,** to be engaged in a lawsuit.
prochain, next, near; *m.* neighbor.
proche, near.
procuration, *f.* power of attorney.
procurer, to obtain.
prodigalités, *f. pl.* lavish expenditures.
prodiguer, to lavish.
produire, to produce.
professeur, *m.* teacher.
profit, *m.* profit, profits.
profiter, to profit; **— de,** take advantage of.
profond, deep, extending far back.
profondeur, *f.* depth.
proie, *f.* prey; **en — à,** a prey to.
projet, *m.* project.
projeter, to project, plan.
promener (se), to walk up and down, take a walk.
promesse, *f.* promise.
prompt, quick.
promptement, promptly, immediately.
promptitude, *f.* promptness.
prononcer, to pronounce, utter.

prophétique, prophetic.
proposer, to advance, suggest, raise (*of an objection, etc.*).
propre, clean, neat, proper, own.
propriétaire, *m.* land owner.
propriété, *f.* property; land.
protéger, to protect.
protubérance, *f.* protuberance, bump (*of the head*).
provenir, to issue, come.
Providence, *f.* Providence, God.
province, *f.* provinces (*all France, except Paris*).
provincial, provincial (*see* **province**); (*m.*), **—e** (*f.*), one living in the **province.**
provision, *f.* provision, supply.
provoquer, provoke, awaken.
publi–c, –que, public.
publier, to publish, announce.
pudique, modest, retiring.
puis, then, next.
puiser, to draw (*as of water*).
puissance, *f.* power.
puits, *m.* well.
punition, *f.* punishment.
pur, pure.
pureté, *f.* purity, innocence.
purifier, to purify.

Q

quai, *m.* quay, wharf, platform (*of stations, etc.*).
qualité, *f.* quality, position.
quand, when; though.
quant à, as for.
quart, *m.* quarter.
quartier-maître, *m.* quartermaster.
quasiment, just about.
quelque, some, a little; **—s,** a few.
querelle, *f.* quarrel.
quereller, to begin a quarrel with; **se —,** wrangle.
question, *f.* question, issue.
queue, *f.* tail; stem.
quien! *popular for* **tiens!** *which see.*
quittance, *f.* receipt.
quitte, free; **être —,** to be quits.
quitter, to leave (*trans.*); relinquish.
quoique, although.
quotidien, daily.

R

raccommoder, to mend.
racheter, to buy back.
racine, *f.* root.
raideur, *f.* stiffness.
raillerie, *f.* banter, mocking jest.
raisin, *m.* grape.
raison, *f.* reason; **avoir —,** to be right.
raisonnement, *m.* reasoning.
raisonner, to reason, argue.
ramasser, to pick up, gather.
rangée, *f.* row.
ranger, to put in a line, put in order, stack (*of wood*).
rappeler, to call back; **se —,** remember.
rapport, *m.* relation, reference; **en — avec,** in keeping with; **mettre en —,** to bring together; **sous tous les —s,** from every point of view.
rapporter, to carry back; **s'en — à,** refer to, trust to, accept the opinion *or* act of.
rapprocher, to bring near; **rapproché de,** near to.
rareté, *f.* rarity, exceptional quality.
rasoir, *m.* razor.
rassembler, to bring together, gather.
rassurer, to reassure.
rattacher, to connect.
ravir, to rob; **ravi,** delighted.

rayon, *m.* ray; shelf.
rayonner, to beam.
réagir, to react.
réaliser, to convert into money, receive in money.
réanimer, to reanimate; **se —,** come to life again.
récalcitrant, *m.* objector.
recevoir, to receive.
réchauffer, to warm up, comfort.
rechercher, to seek out.
réciproquement, reciprocally.
réclamer, to demand.
réclusion, *f.* confinement.
récolter, to gather in, harvest.
réconcilier, to reconcile.
reconduire, to see (*someone*) home *or* to the door.
reconnaissance, *f.* recognition; gratitude; certificate.
reconnaître, to recognize; acknowledge.
reçu, *m.* receipt.
recueillir, to gather; **recueilli,** collected, pensive.
reculer, to postpone.
redevance, *f.* rent, due.
redingote, *f.* frock coat.
redoubler, to redouble; **— de,** increase (*trans.*).
redouter, to fear.
réduire, to reduce.
réellement, really.
réfléchir, to reflect; **— à,** think over.
refléter, to reflect.
réflexion, *f.* reflection, thought.
refriser, to curl anew.
refroidir (se), to grow cold.
réfugier (se), to take refuge.
refus, *m.* refusal.
refuser, to refuse; **se — à,** resist.
régaler, to regale, 'treat'.
regard, *m.* look, attention.
regarder, to look at; concern.
régime, *m.* prevailing system of things.
région, *f.* region, realm.
régir, to manage.
régisseur, *m.* manager, agent.
règlement, *m.* settling, settlement.
régler, to settle.
régner, to reign.
régulièrement, regularly; in due form.
réhabiliter, to rehabilitate (*clear of disgrace*).
rehausser, to enhance.
rein, *m.* kidney; **—s,** back.
réitérer, to reiterate.
relever, to lift up again; **se —** recover.
remanier, to rearrange.
remarquable, remarkable, unusual.
remarque, *f.* observation.
remarquer, to notice.
remboursement, *m.* reimbursement.
remercier, to thank.
remercîments, *m. pl.* thanks.
remettre, to put back; deliver.
remonter, to go up again.
remords, *m.* remorse.
rempart, *m.* rampart.
remplacer, to replace.
remplir, to fill, make up (*a deficit*); fulfil.
remporter, to carry back, bear away; win.
remuer, to stir; **se —,** get into motion.
renard, *m.* fox.
rencontrer, to meet, encounter
rendez-vous, *m.* tryst, appointment.
rendre, to give back; (*with an adj.*) to make; **se — à,** to betake oneself to; **— justice,** to do justice.
rêne, *f.* rein.
renfoncement, *m.* recess.
renier, to disown.
renoncer, to give up.

renonciation, *f.* relinquishment.
renseignement, *m.* information.
rente, *f.* income, annuity.
rentrer, to re-enter, enter; go home.
renverser, to overturn, throw back.
répandre, to spread.
reparaître, to reappear.
réparation, *f.* repair.
réparer, to repair.
repas, *m.* meal.
repasser, to go by anew, review.
repentir (se), to repent.
répercuter (se), to reverberate.
répéter, to repeat.
replacer, to put back.
répliquer, to reply.
répondre, to answer; — **de,** answer for, guarantee.
réponse, *f.* answer.
reporter, to carry back, take back.
reposer, to rest; refresh; — **sur,** rest upon; **se** —, take rest. **reposé,** quiet, calm.
repousser, to push back; be repulsive.
reprendre, to take again *or* back, begin anew, reply.
représentant, *m.* agent, substitute.
représenter, to represent.
reprise, *f.* resumption; **à plusieurs —s,** several times.
reproche, *m.* reproach.
reprocher, to impute as a fault; — **quelque chose à quelqu'un,** reproach someone for something.
républicain, *m.* Republican.
République, *f.* Republic.
répugner, to be loath.
réputation, *f.* reputation.
requérir, to petition for.
requête, *f.* petition.
réserver, to reserve.
résignation, *f.* resignation.
résigner, to resign.
résoudre, to resolve, solve, settle.
respect, *m.* respect.
respirer, to breathe.
resplendir, to glow.
ressaisir, to recover possession of.
ressemblance, *f.* resemblance.
ressembler (à), to resemble.
ressort, *m.* spring.
ressource, *f.* resource; **—s,** means (*money*).
reste, *m.* remainder, relic; **—s,** remains; **du** —, moreover.
rester, to remain.
résultat, *m.* result.
résumer, to sum up.
rétablir, to re-establish.
retard, *m.* delay, slowness; **en** —, late.
retenir, to hold back, check.
retentir, to resound, re-echo.
retentissement, *m.* echo, noise, renown.
retirer, to withdraw; **se** —, withdraw.
retour, *m.* return.
retourner (se), to turn around.
retraite, *f.* retirement.
retraité, retired with a pension.
réunir, to bring together.
réussir, to succeed.
réussite, *f.* success.
réveiller, to waken.
révéler, to reveal.
revenir, to come back; be due.
revenu, *m.* income.
rêver, to dream; long for.
révérence, *f.* curtsy.
révolter, to disgust.
révolutionnaire, revolutionary.
révolutionner, to turn upside down.
révoquer, to revoke.
rez-de-chaussée, *m.* ground-floor.
riche, rich, sumptuous.

richement, richly.
richesse, *f.* richness; **—s**, splendor.
rider, to wrinkle.
ridicule, ridiculous.
rien, nothing; **un —**, a mere nothing, a snack.
rieur, laughing.
rigoureux, severe.
rire, to laugh; *m.* laughter.
risquer, to risk.
rive, *f.* bank.
robe, *f.* dress; **— de chambre**, dressing gown, wrapper.
robuste, strong, vigorous.
roman, *m.* novel.
rond, round.
ronger, to gnaw.
rose, rosy, pink; *f.* rose.
rotule, *f.* kneecap, knee.
rouet, *m.* spinning wheel.
rouge, red.
rougir, to make red; blush.
rouiller, to rust.
rouler, to roll, wheel; travel.
roulette, *f.* caster.
roupie, *f.* rupee (*East Indian coin*).
route, *f.* road.
rou–x, –sse, red, russet.
royaliste, royalist.
ruban, *m.* ribbon.
ruche, *f.* beehive.
rudement, roughly.
rudoyer, to handle harshly, ill-treat.
rue, *f.* street.
ruelle, *f.* alley; **la — du lit**, *see p. 112, n.6.*
ruiner, to ruin.
ruineux, ruinous.
rusé, cunning, crafty.
ruser, to use deceit.

S

sable, *m.* sand.
sac, *m.* sack, bag.
saccadé, jerky.
sacrifier, to sacrifice.
sage, wise; good (*of children*).
sagement, sagely, wisely.
sain, healthy.
saint, sacred, holy.
saintement, holily.
sainteté, *f.* holiness.
saisir, to seize.
saison, *f.* season, time of year.
salé, salt.
salle, *f.* hall, living room.
salon, *m.* parlor (*drawing room*).
saluer, to bow to.
salut, *m.* salvation; **faire son —**, to win salvation.
samedi, *m.* Saturday.
sang-froid, *m.* coolness.
sans, — que, without.
santé, *f.* health.
satiner, to give a gloss like satin.
satisfaire, *also* **— à**, to satisfy.
sauf, (*adj.*) safe; (*prep.*) except.
saugrenu, absurd.
sauter, to jump, start; **faire —**, pry loose.
sauver, to save; **se —**, run off.
saveur, *f.* taste.
savoir, to know; (*with inf.*) know how to.
scène, *f.* stage, scene.
sceptique, sceptical.
scintiller, to sparkle.
scruter, to scrutinize, study.
sculpter, to carve.
sculpteur, *m.* sculptor.
sec, dry, withered, lean.
sèchement, dryly, tartly.
secouer, to shake.
secours, *m.* help.
secret, secret; *m.* secret.
secrétaire, *m.* secretary.
secrètement, secretly.
séducteur, *m.* seducer.
seigneur, *m.* lord.
sein, *m.* bosom.
sel, *m.* salt.

selon, according to.
semaine, *f.* week.
semblable, similar, such, like.
semblant, *m.* appearance; **faire —,** to pretend.
sembler, to seem.
semelle, *f.* sole.
sens, *m.* sense; direction.
sensibilité, *f.* sensitiveness, feeling.
sentencieusement, sententiously.
sentencieux, sententious.
sentiment, *m.* feeling.
sentir, to feel; smell.
seoir, to suit.
séraphique, seraphic.
serment, *m.* oath, vow.
serpent, *m.* snake.
serpette, *f.* pruning knife.
serre, *f.* greenhouse.
serrer, to press close, clasp, hug; put away; **— la main,** shake hands; **se —,** be wrung (*of the heart*).
servir, to serve; **— à,** be of use to, **se — de,** use.
seuil, *m.* threshold.
seul, alone.
seulement, only; even.
sévèrement, severely.
si, if, so, whether, what if.
siècle, *m.* century, age.
siège, *m.* chair.
siffler, to whistle.
signalé, signal, conspicuous.
signaler, to point out.
signe, *m.* sign.
signer, to sign, sign one's name.
significatif, significant.
silencieusement, silently.
silencieux, silent.
simplicité, *f.* simplicity.
sinécure, *f.* sinecure (*office of profit with no duties attached*).
singulier, singular.
singulièrement, singularly.
sinon, otherwise.
situation, *f.* situation, position.
situer, to situate.
société, *f.* society, social gathering, social group.
soie, *f.* silk.
soigner, to take care of.
soigneusement, carefully.
soin, *m.* care; **—s,** attention.
soirée, *f.* evening, evening's entertainment *or* reception.
soit, so be it; **— . . . —,** either . . . or.
solder, to settle, pay in full.
soleil, *m.* sun.
solennel, solemn.
solennellement, solemnly.
solennité, *f.* solemnity.
solide, strong, sturdy.
solitaire, solitary, companionless.
solive, *f.* joist.
solvable, solvent.
sombre, dark, gloomy.
somme, *f.* sum.
sommeil, *m.* sleep.
son, *m.* bran.
songer, to dream; **— à,** dream *or* think of.
sonner, to ring, strike (*of a clock*).
sonore, sonorous.
sonorité, *f.* sonorousness, noisiness.
sort, *m.* fate, fortune.
sorte, *f.* sort, kind; **de — que,** so that; **de la —,** in that way.
sortir, to go out; take out; *m.* **au — de,** upon leaving.
sot, foolish; *m.* fool.
sottise, *f.* folly.
sou, *m.* cent, copper.
souci, *m.* anxiety.
soucier (se), to be concerned.
soucoupe, *f.* saucer.
soudain, sudden; suddenly.
souffrance, *f.* suffering.
souffrir, to suffer.
souhait, *m.* wish, desire.

souhaiter, to wish; — **une bonne année,** wish a happy New Year.
souiller, to sully.
soulever, to lift up; arouse.
soulier, *m.* shoe.
soumettre, to submit; **soumis,** docile.
soupçon, *m.* suspicion.
soupçonner, to suspect, have the remotest idea of.
soupeser, to feel the weight of.
soupir, *m.* sigh.
sourciller, to wince.
sourd, deaf.
sourire, to smile; *m.* smile.
souris, *f.* mouse.
sournoisement, slyly.
sous, under.
soustraire, to withdraw, take away.
soutenir, to support, uphold.
soutien, *m.* support.
souvenir, *m.* memory; gift of remembrance.
souvenir (**se**), to remember.
spectacle, *m.* spectacle; theatrical performance.
station, *f.* station, *see p. 11, n. 4.*
stupéfait, amazed, dumbfounded.
stupidement, senselessly (*without understanding*).
suave, sweet.
suavité, *f.* sweetness.
subir, to undergo.
subitement, suddenly.
suc, *m.* juice.
succéder (**à**), to succeed (*someone*), inherit the estate of.
succession, *f.* inheritance, estate, legacy.
successivement, successively.
sucre, *m.* sugar.
sucrer, to sugar, sweeten.
sucrier, *m.* sugar bowl.
suer, to sweat, work hard.
sueur, *f.* sweat, perspiration.
suffir, to suffice.
suffisamment, sufficiently.
suffisance, *f.* adequacy; **à ta —,** as much as you need.
suffisant, sufficient.
suggérer, to suggest.
suite, *f.* succession, long line.
suivant, according to, in accordance with.
suivre, to follow.
sujet, *m.* subject, reason.
superbe, magnificent.
supériorité, *f.* superiority.
suppliant, suppliant, beseeching.
supplier, to beg.
supporter, to hold up, bear.
sur, on; **dix heures — douze,** ten hours out of twelve; — **vos six louis,** out of your six louis.
sûr, sure.
surdité, *f.* deafness.
surgir, to spring up.
surnager, to float on the surface, keep up.
surnom, *m.* nickname.
surpasser, to surpass.
surplis, *m.* surplice.
surprendre, to surprise.
surtout, especially; *m.* case.
surveiller, to watch, oversee.
sus, *see p. 19, n. 4.*
susceptible, likely. *See p. 82, n. 3.*
susdit, above-mentioned.
suspendre, to suspend.
symbole, *m.* symbol.
sympathique, sympathetic; attractive.
système, *m.* system, arrangement, plan.

T

ta, ta, ta, tut, tut.
table, *f.* table; — **de nuit,** night table.

tableau, *m.* picture; wall space.
tablier, *m.* apron.
tache, *f.* spot, blemish.
tâcher, to try.
taffetas, *m.* taffeta.
taille, *f.* stature; waist.
tailler, to cut, fashion.
tailleur, *m.* tailor.
taire, to say nothing of; **se —,** be silent.
talon, *m.* heel.
tandis que, whereas.
tanné, tanned.
tant, so much, to such a degree.
tantôt, by and by; just now; — . . . —, now . . . again.
tapage, *m.* noise, row.
tapis, *m.* cover, carpet.
tapisser, to cover.
tapisserie, *f.* tapistry.
tard, late.
tarder, to delay; **— à,** be slow in.
tarir, to dry up, exhaust.
tarte, *f.* tart.
tartine, *f.* slice of bread (spread with jam, butter, *etc.*).
tas, *m.* pile.
tasse, *f.* cup.
tâter, to feel (*try by the touch*).
taudis, *m.* hovel.
taux, *m.* rate of interest.
taxer (**de**), to brand (as).
technique, technical.
teint, *m.* complexion.
teinte, *f.* tone, color.
témoignage, *m.* testimony, token.
témoigner, to bear witness, show, evince.
témoin, *m.* witness.
temps, *m.* time, interval; **à —,** in time; **de — en —,** from time to time.
tenable, bearable.
tendre, to stretch, stretch out, hang (*of a room*). *See also p. 148, n. 1.*
tendre, tender.
tendrement, tenderly.
tendresse, *f.* love, affection.
tenir, to hold; **— de,** take after, resemble; **tiens, tenez,** take this; **tiens!** why! (*exclamation of surprise*); look here! (*to attract attention to a following remark*); **se — tranquille,** keep quiet.
tenter, to tempt; attempt.
terme, *m.* end, goal; word, expression.
terminer, to end.
terne, colorless, dull.
terrain, *m.* ground.
terrasse, *f.* terrace.
terre, *f.* earth, world; ground, property.
terrestre, terrestrial, worldly.
terreur, *f.* terror.
terriblement, terribly.
territorial, of *or* pertaining to land.
testament, *m.* will.
tête, *f.* head.
thé, *m.* tea.
tiens! *see* **tenir.**
tiers, *m.* third.
tigre, *m.* tiger.
timide, timid.
tirer, to draw, draw off; close (*of a door*); fire (*of firearms*); **se — de,** get successfully out of.
tiroir, *m.* drawer.
titre, *m.* title.
toile, *f.* cloth; **— à voile,** canvas, sailcloth.
toilette, *f.* dress, act of dressing and washing; —, *also* **— de voyage,** dressing case.
toise, *f.* six-foot measure.
toison, *f.* fleece.
toit, *m.* roof.
tôle, *f.* sheet iron.
tombeau, *m.* tomb.
tomber, to fall.

ton, *m.* tone, color, style; **donner le — à,** to set the style for.
tonneau, *m.* hogshead, barrel, cask.
tonnelier, *m.* cooper.
tonnerre, *m.* thunder.
tordre, to twist, wring.
tort, *m.* harm; **avoir —,** to be wrong.
tortueux, tortuous, winding.
tôt, early.
toucher, to touch; receive (*of money*); **— à,** to meddle with, injure.
toujours, always, still, all the same.
tour, *m.* turn; **— à —,** each in turn; **faire le — de,** to make the circuit of.
tourment, *m.* suffering.
tourmenter, to torture.
tourner, to turn; **— les pouces,** twirl one's thumbs.
tousser, to cough.
tousserie, *f.* coughing.
toutefois, nevertheless.
tracasser, to annoy, harass.
tracer, to trace, draw up.
trahir, to betray.
trahison, *f.* betrayal, treason.
trainer, to drag.
traire, to milk.
trait, *m.* feature; flash.
traite, *f.* trading; draft, bill; **— des nègres,** slave trade.
traiter, to treat.
trame, *see* **ourdir.**
tranchant, *m.* cutting edge.
trancher, to cut, outline.
tranquille, still, quiet, peaceful.
transmuter, to change
transporter, to transport, carry.
transversal, transverse, cross.
trapu, stocky.
travail, *m.* work.
travailler, to work.
travers, *m.* breadth; **en —,** crosswise.
traversée, *f.* crossing (*of the ocean*).
traverser, to cross.
trembler, to tremble, shake.
tremper, to dip.
trépigner, to stamp one's feet.
trésor, *m.* treasure.
tressaillir, to start.
tresse, *f.* braid (*of hair*).
tribouiller, to 'roil'. *See p. 122, n. 4.*
tribunal, *m.* court.
tricot, *m.* knitting.
tricoter, to knit.
trifouiller, *see p. 128, n. 2.*
triomphalement, triumphantly.
triste, sad; worthless.
tristesse, *f.* sadness.
troisième, third.
tromper, to deceive; **se —,** be deceived, be mistaken.
trotter, to trot, dance about.
trou, *m.* hole.
troubler, to disturb.
troupier, *m.* soldier.
trouver, to find; **se —,** happen to be.
tuer, to kill.
tue-tête; à —, with all one's might.
tumultueux, tumultuous.
tutelle, *f.* guardianship.
tyranniser, to tyrannize.

U

ultérieur, ulterior; for the future.
unique, sole, only.
unir, to unite.
universellement, universally.
usage, *m.* use, usage.
user (de), to use.
ustensile, *m.* implement.
usuraire, usurious.

V

vache, *f.* cow.
vaguement, vaguely.
vainement, in vain.
vaisseau, *m.* vessel.
valeur, *f.* value, significance; **—s,** securities (*commercial 'paper' of all kinds*).
valoir, to be worth; gain.
vaniteusement, with vanity.
vaniteux, vain.
vanter, to boast; praise.
va-nu-pieds, *m.* ragged fellow, wretch.
varier, to vary.
veau, *m.* calf.
veille, *f.* day before.
veiller, to watch, be awake; **— à,** keep a watch over.
veiné, showing veins.
velours, *m.* velvet.
vendange, *f.* vintage, grape gathering.
vendanger, to gather (*of grapes*).
vendangeur, *m.* grape gatherer.
vendre, to sell.
vénérable, venerable.
venir, to come; **— de,** have just.
vente, *f.* sale; **en —,** on sale.
ventre, *m.* belly.
vêpres, *f. pl.* vesper service.
ver, *m.* worm.
vérité, *f.* truth.
vermeil, *m.* silver gilt.
vermoulu, worm-eaten.
vernir, to varnish, glaze.
vernisser, to varnish.
vérole; **petite —,** smallpox.
verre, *m.* glass.
vers, towards, about.
verser, to pour out, shed.
vert, green.
vertu, *f.* virtue.
vertueux, virtuous.
vêtement, *m.* article of clothing.
vêtir, to clothe.
veuve, *f.* widow.
viande, *f.* meat.
vide, empty.
vider, to empty.
vie, *f.* life.
vieillard, *m.* old man.
vieillesse, *f.* old age; aged persons.
vieillir, to grow old.
vierge, unharmed; *f.* Virgin.
vieux, old; *m.* old man.
vif, quick; bright (*of color*).
vigne, *f.* vine, vineyard.
vigneron, *m.* vine grower.
vignoble, *m.* vineyard; wine growers.
vigoureusement, vigorously.
vigueur, *f.* vigor; **en —,** in force.
ville, *f.* town; **en —,** in town.
vin, *m.* wine.
vingtaine, *f.* score.
violemment, violently.
virginité, *f.* virginity.
vis à vis de, opposite; with regard to.
visage, *m.* face.
visiteur, *m.* visitor.
vite, quickly.
vitrage, *m.* glass windows.
vivacité, *f.* keenness, zest.
vive, long live, hurrah for.
vivement, sharply, keenly.
vivifier, to vivify, enliven.
vivre, to live.
vivres, *m. pl.* provisions.
vœu, *m.* prayer, wish.
voici, behold, here is.
voie, *f.* road, way.
voilà, behold, there is.
voile, *m.* veil.
voiler, to veil.
voir, to see.
voisin, *m.* neighbor.
voiture, *f.* carriage.
voix, *f.* voice; **à haute —,** aloud. **à — basse,** in a low voice.
vol, *m.* theft.
volaille, *f.* poultry.

voler, to steal, rob.
voleur, *m.* thief.
volonté, *f.* will; desire.
volontiers, gladly.
vouloir, to want; seek to, intend; **en — à,** have a grudge against, have designs upon. *See p. 18, n. 2.*
voûte, *f.* arch.
voyageur, *m.* traveler.
vraiment, really.
vraisemblable, plausible, likely.
vue, *f.* sight, view.
vulgaire, common; *m.* common people, herd.